Les anciennes odeurs

Les photos de Michel Tremblay (couverture et intérieur) sont signées *Jacques Grenier.*

Maquette de la couverture: Luc Mondou

ISBN 2-7609-0102-5

Imprimé au Canada

Les anciennes odeurs

Michel Tremblay

théâtre/leméac

LES ANCIENNES ODEURS
une carte olfactive du Tendre

Guy Ménard

Jean-Marc, professeur de cégep, trente-huit ans, corrige des travaux d'étudiants dans son sous-sol-bureau, en fumant sa pipe. Luc, jeune comédien, son ancien chum-ami-amant — ils ont vécu ensemble sept ans — lui rend visite à l'improviste. Son père se meurt à Notre-Dame-de-la-Merci et souhaite que Jean-Marc, qu'il aimait bien, aille le voir une dernière fois. Mais Luc, en mettant le pied chez son ancien ami, est frappé par l'odeur des lieux:

> [...] ça sent toujours la même chose, ici-dedans [...] j'ai toutes sortes d'images qui me rentrent par le nez [...]

Jean-Marc, lui, n'a pas oublié le parfum — toujours le même — du jeune comédien.

> Pis ça te met pas croche?

Geste vague de Jean-Marc: «À quoi ça servirait d'en parler?...» En parler, pourtant, c'est ce qu'ils vont faire, tout le long de la pièce. Conversation à travers beaucoup de passé, un peu d'avenir, et quelque chose qui ressemble à une sorte de présent. Conversation «à bâtons rompus», comme on dit, zigzagante, accrochant à un mot, dérivant sur une image, comme guidée par ces odeurs anciennes qui remontent à la surface, s'appellent et se font signe, qui, telles des poupées russes, surgissent les unes des autres, exhumant (ex-humant?) de vieux souvenirs et d'anciennes questions, des extases estompées et des blessures enfouies.

Une autre rue Fabre

Tenace ponctuation dans l'œuvre de Tremblay [1], cette présence d'odeurs, de la mémoire olfactive, prend ici l'importance d'un véritable fil conducteur. On s'empêche difficilement, bien sûr, de penser à Proust. D'autant que l'évocation des réminiscences du Temps perdu n'a, ici, rien d'incongru : nous sommes en effet devant les premiers personnages de Tremblay qui ont vraisemblablement lu Proust (dans la mesure où l'on peut douter que les précieuses de l'Impromptu, les seules autres qui auraient pu l'avoir dans leur bibliothèque — à vrai dire les seules autres

---

1. On pense — par exemple — à Yvette Beaugrand qui, entrevoyant la vacuité de sa vie, conclut : «[...] Un fauteuil. Il va rester de ma vie un fauteuil. Avec mes odeurs. C'est tout.» (L'Impromptu d'Outremont, Montréal, Leméac, p. 41.) Ou, encore, à l'importance du «parfum cheap» dans Hosanna, dont on répandait d'ailleurs un flacon dans la salle du Quat'Sous, avant la représentation, pour rendre encore mieux «l'ambiance».

qui aient une bibliothèque —, s'y soient jamais mesurées). Indice, s'il en fallait vraiment, d'un assez vertigineux changement de décor dans le théâtre de Tremblay: si nous sommes à des lieues de cette bourgeoisie exsangue et fossilisée que Tremblay, à la fin de l'Impromptu, balaie d'une rafale de mitraillette, nous sommes aussi décidément très loin de la rue Fabre. Celle, en tout cas, du cycle des Belles-Sœurs: car si le sous-sol aménagé en bureau évoque plutôt Duvernay ou, plus exactement peut-être, Outremont-en-bas, il pourrait tout aussi bien se transformer en salon double d'un plateau Mont-Royal doucement envahi par une intelligentsia granola-culturelle qui en décape les boiseries et y installe aux fenêtres des rideaux de chez Arthur Quentin. Nouvelle «classe moyenne» cool et scolarisée qui — la pièce le rend bien — parle ce dialecte québécois, à la fois instruit et décontracté, de la rue Laurier ou du faubourg Saint-Denis: langue de Fabienne Thibault et de Paul Piché, de Pauline Julien — et de Michel Tremblay. Entre les voisins de La grosse femme et les personnages des Anciennes Odeurs, l'espace — à la fois étroit et abyssal — d'une révolution pas si tranquille, d'une turbulence de générations, d'une mutation de culture et de classe. Luc, dont le père était ouvrier pressier, a fort bien pu jouer au parc Lafontaine avec les enfants d'Albertine. Le Rapport Parent, l'Expo, le boom économique des années 60 et, dans son cas, l'École Nationale l'ont fait accéder, comme tant d'autres, à cette nouvelle petite bourgeoisie du Québec moderne à laquelle Tremblay lui-même appartient et que, pour la première fois d'une manière aussi directe, il choisit de mettre en scène.

Cette nouveauté de «contenu» — on en sera peut-être un moment étonné — se reflète également au plan de la forme dramatique, elle aussi un peu déroutante. Pièce dépouillée à l'extrême : deux hommes qui, sans se crier par la tête ou s'envoyer chier, arrivent à se parler. D'eux-mêmes, de leur vie, de leurs amours, de leurs angoisses. D'une manière à la fois émouvante et sobre. Lucidement, tendrement. Quelque part, il s'agit là d'une sorte de miracle : on y reviendra. Nous sommes en tout cas bien loin de l'hyperréalisme cruel des belles-sœurs ou des filles Beaugrand, loin des chœurs tragiques de sainte Carmen ou du tragi-comique monologue de la Duchesse, loin du fantastique pas de deux mystico-schizophrénique de Manon et de Sandra. Comme si, pour aborder son propre univers, Tremblay privilégiait le mode mineur et, à la démesure de l'exubérance fellinienne, préférait le cri chuchoté sur un divan de Bergman.

Toutes sortes d'images qui rentrent par le nez...

Mais, ces anciennes odeurs ? Déroulant capricieusement, mystérieusement, les méandres de leur infaillible mémoire (oublie-t-on jamais l'odeur d'une grand-messe de son enfance, d'un bistro parisien, d'un corps qu'on a aimé), elles dessinent dans la conversation un imprévisible parcours. Nostalgiques, elles ramènent tout d'abord Luc à cette époque où, étudiant à l'École nationale, il apprenait ses textes calé dans le fauteuil où il se trouve en ce moment, à côté de Jean-Marc qui, comme ce soir, corrigeait ses copies en fumant la même pipe.

> J'sais pas pourquoi le passé sent toujours si bon [...]

Mais, volatiles, voici qu'elles glissent déjà ailleurs. Luc est profondément troublé par l'agonie de son père qui s'éteint à vue d'œil, rapetissé, incapable de manger, l'air d'un chien battu. Insoutenable et révoltante absurdité de la mort d'un être jadis si fier, si fort, et qu'il a tant aimé.

> Pis en plus, ça pue!

Luc voudrait pouvoir pleurer, casser des meubles, hurler sa révolte. Mais il n'y parvient pas. Tout ce qu'il n'arrive pas à faire pour son père «les crises, les larmes, la morve qui coule, les yeux qui dérougissent pas pendant des semaines» Jean-Marc, lui, l'a pourtant fait pour Luc, quand il a su que celui-ci «le trompait», «baisant à droite pis à gauche». Odeur d'une autre mort, celle du couple qu'ils ont été. Jean-Marc, depuis, a rencontré deux ou trois gars. Mais, monogame dans l'âme, ces furtives amours d'un soir l'ont plutôt déprimé:

> J'aime mieux concentrer mes énergies sur un corps que je connais par cœur, que je sais comment faire jouir [...] pis dont j'aime les odeurs que je peux continuer à respirer quand on a fini de baiser [...]

Enivrante sensualité des odeurs...

Jean-Marc s'est trouvé un nouveau chum, Yves, que Luc, avec un sourire à la fois sarcastique et douloureux, s'entête à appeler Natacha, et qui sent — dixit Luc méchamment — le camphre ou le thé des bois.

> [...] tu devrais 'i montrer à se parfumer moins.

Pour Jean-Marc, profondément blessé par sa rupture avec Luc, Yves-Natacha, ce n'est certes pas la «grande passion». Mais, au moins, si ça floppe encore, ça fera moins mal que lorsque Luc est parti, après sept ans, asphyxié par les trop calmes volutes d'une pipe, en quête d'odeurs plus fortes, plus sauvages, et plus violentes:

> [...] chus redevenu le p'tit bum à l'affût de jouissances courtes et faciles, furtives, surtout [...]; chus retourné avec grande excitation dans le noir d'où tu m'avais tiré pour me tyranniser avec ton amour exclusif et étouffant; pis j'tâtonne à longueur d'année dans une pièce sombre remplie d'hommes qui sentent fort [...]

Luc sait, bien sûr, qu'une odeur de poppers qui flotte, ça laisse quand même souvent la tendresse sur sa faim...

Loups blessés, Luc et Jean-Marc se sont trouvés, pour survivre, et chacun à leur manière, une sorte de tanière. Jean-Marc «devenu raisonnable» a mis le grand amour entre parenthèses. Luc, lui, a choisi de tomber en amour dix fois par jour, risquant ainsi, tout au plus, «de grosses peines d'amour de trente secondes »... *Irrémédiable césure de la passion et de l'amour, de la volupté et de la tendresse, de la pulsion sauvage et des «amours civilisées»? Présomptueuse utopie de Hesse, qui voulait conjuguer en Demian le divin et le démoniaque...*

Une pièce homosexuelle?

Deux hommes qui se sont aimés. Une «pièce homosexuelle»? Le «sujet», dira-t-on sans doute, est à la mode, — et fait salle comble. Cruising, la Cage aux folles, et, *paraît-il, jusqu'au fils de Zorro... Sans parler de notre Bernie Lacasse national, du flamboyant coiffeur de* Chez Denise *et de tous ces homosexuels qui peuplent les scénarios — ou tout au moins les décors — de bien des scènes contemporaines. Luc et Jean-Marc ne sont évidemment pas les premiers personnages homosexuels que Tremblay, pionnier à cet égard, a fait naître au théâtre québécois. Et pourtant, entre Hosanna, Sandra et cet oncle Édouard que Tremblay doit encore métamorphoser en duchesse de Langeais, et les ex-amants des Anciennes Odeurs, la distance est aussi vertigineuse qu'entre la cuisine de Germaine Lauzon et le soussol du prof de cégep. Tremblay, à sa manière, le fait bien voir: il n'y a décidément d'homosexualité que plurielle. Les «nouveaux homosexuels» qui entrent ici en scène sont à des années-lumière des travestis de la Main — ou des «jewels» de Christian Lalancette. Ils n'ont pas à changer de nom, à devenir Duchesse ou Cléopâtre pour tenter d'échapper à la honte d'un destin marginal, pour s'inventer une «identité» que la culture leur refuserait. Fils d'une*

15

génération qui a vu naître la libération gaie, *ils ont, comme on dit, «assumé leur homosexualité».* Naturellement, sans faire de chichi. On serait presque tenté de dire : banalement. Non pas que leur orientation sexuelle les mette à l'abri des angoisses du commun des mortels, ou que la société n'en fasse plus aucun cas[2]. Mais, cette homosexualité, ils ne la portent ni comme une malédiction, ni comme une bannière, ni, surtout, comme un alibi. Ce n'est pas *elle* qui est ici en jeu, qui occupe le centre de la scène. En ce sens-là, les Anciennes Odeurs ont quelque chose de paradoxal : tout en mettant en scène des personnages homosexuels d'une intense vérité, cette pièce n'est pourtant pas vraiment une «pièce homosexuelle» — si tant est, bien sûr, que l'expression ait un sens. En tout cas, les amateurs de falbalas et d'exotisme érotique, les partisans d'un théâtre gai «militant» pur et dur, ou même simplement ceux qui s'attendraient à voir Tremblay porter une sorte de regard ethnologique sur le monde gai actuel seront probablement déçus. Mais c'est que le pari de Tremblay est, en un sens, beaucoup plus audacieux, plus neuf, et peut-être même plus provocant : mine de rien, et refusant absolument l'anecdote, il fait accéder à l'universel des personnages que la culture, trop souvent encore, réduit à l'unique dimension de leur être-(homo)sexuel. «Universel», non certes au sens où tous les homosexuels leur ressembleraient (ce

---

2. Sans être très «militants», Luc et (surtout) Jean-Marc manifestent néanmoins, à cet égard, une lucidité et un «instinct» qui les rattachent à la sensibilité du *mouvement gai* contemporain.

16

serait faire injure à l'intelligence de Tremblay que de lui prêter une telle naïveté), mais en ceci que ces personnages deviennent les porteurs d'une humanité à laquelle n'importe qui, quelle que soit son orientation sexuelle, pourra s'identifier — pour peu qu'on se soit un jour coltaillé avec l'aventure du désir, de l'amour, de la rencontre de l'autre. Parce que ces personnages ressemblent finalement, banalement, à tout le monde. Ou, tout au moins (Tremblay sait fort bien qu'on ne peut atteindre l'universel qu'à travers le particulier), à cette génération d'hommes et de femmes — la sienne — qui, sur les terrasses de la rue Saint-Denis ou dans une maison de campagne retapée, tente de se démerder avec l'amour et le sexe, la jalousie et la tolérance, le besoin de sécurité affective et le goût «d'aller voir ailleurs», le flirt, le fantasme et la fidélité. (Et la tendresse, bordel!...) Une génération qui a lu Reich et trippé sur Marcuse, qui a cru — au moins un temps — à la «révolution sexuelle» et qui, aujourd'hui, se retrouve plus que jamais fuckée dans des codes dont le mode d'emploi s'est perdu, obligée de tout réinventer — d'un certain art d'aimer aux normes d'une nouvelle éthique : bien sûr, Luc baisait «à droite pis à gauche». Mais avec, au fond de lui-même, la conviction profonde qu'il ne trompait pas son ami :

> J'arrive à faire une différence entre mes sentiments pis mes désirs, c'est tout.

(Entre nous, disait Sartre à propos de Simone de Beauvoir, il s'agit d'un amour nécessaire. Mais il convient que nous vivions aussi des amours contin-

gentes...) Luc, en cela, était-il moins «fidèle» que Jean-Marc qui, lui, sexuellement exclusif, s'est pourtant amouraché d'un de ses étudiants, à en être malade pendant tout un semestre?

T'as jamais baisé avec mais tout le temps que tu l'as désiré, tu me trompais, Jean-Marc, pis autant que moi j'te trompais en me faisant aller avec n'importe qui comme j'le faisais...

Le spectre de la médiocrité

On aurait cependant tort de croire que cette difficile gestion de la sexualité, du désir, de l'amour soit la seule ou même la principale «obsession» de cette génération à laquelle Luc et Jean-Marc appartiennent, qui a la trentaine morose des lendemains de référendums qui ne chantent pas, et qui, avec l'apparition des premiers cheveux gris, se voit brutalement confrontée à cette chose à la fois monstrueusement banale et froidement terrifiante : la médiocrité. Non pas celle, inéluctable et congénitale, de la stérile bourgeoisie qui se gratte pathétiquement le bobo dans l'Impromptu mais plutôt celle — encore plus effrayante — dont seuls des personnages qui, justement, ne sont pas médiocres peuvent pressentir la menace. Comédien talentueux et consciencieux, Luc a accepté «pour gagner sa vie» de jouer le rôle d'un épais qui zozote dans un feuilleton télévisé abrutissant et débile, mais à la cote d'écoute fort payante. Ce succès empoisonné, qui le poursuit aussi bien dans la rue que dans les pages des «journaux de vedettes», l'écœure jusqu'à la nausée. Jean-Marc, lui, qui réussit merveilleusement dans son métier d'éducateur, a toujours rêvé d'écrire. Mais, en relisant ses tentatives de romans, il prend conscience que ce qu'il écrit est «profondément ennuyant, irrémédiablement platte». Vertige:

> Parlons d'autre chose, Jean-Marc, on tourne autour d'affaires qui sentent pas bon.

La médiocrité: une tentation, *et peut-être déjà une* faute *pour laquelle il n'y a pas d'absolution — mais peut-être une sorte d'exorcisme, dans le courage même qui consiste à se l'avouer lucidement, sans moralisme ni complaisance. Et avec une assez émouvante dignité:*

> J'aime ça passionnément être un acteur, [...] mais calvaire, j'voudrais le faire sans fourrer personne! Pis si c'est pas possible... j'voudrais avoir la force de me retirer dignement avant d'avoir trop de choses à me reprocher [...]

L'ombre du père

Ne serait-ce pas tout bêtement une hantise de la médiocrité amoureuse qui aurait fait flopper ce couple?

> [...] j'ai pas plus le goût aujourd'hui de dompter mes appétits juste pour avoir un amant popoteux, aussi beau, aussi intelligent soit-il, qui m'attend le soir à la maison [...]

Peut-être. Mais il ne faudrait pas non plus négliger la présence d'un autre spectre qui, tel le fan-

tôme du vieux roi de Danemark sur les murs d'Else-
neur, vient hanter le sous-sol des Anciennes Odeurs:
celui du Père. Ce père, bien sûr, que Luc a tant
aimé, admiré, et qui n'est déjà plus que l'ombre
mourante de lui-même. Mais aussi celui que Jean-
Marc — substitut symbolique ou transfert? — a largement été pour Luc, comme il l'est de toute façon
avec ses élèves et tous ceux qu'il côtoie: confident
«au giron généreux», «maître» inspirant et génial
«engendreur» du talent des autres, certes, mais vi-
dant inconsciemment ceux-ci et se nourrissant de
leur substance. Chronos, dévorant sans trop s'en
rendre compte ses propres enfants.

> [...] tout ce qui touche les problèmes des
> autres, leurs tâtonnements, leurs questionnements,
> leurs chutes, leurs espoirs pis leurs dépressions te
> passionne! C'est même là ta principale raison de
> vivre!

Jean-Marc, fascinant — mais aussi écrasant — à force
d'être parfait (comme tous les pères), bien trop fort
pour être «tué», et qu'il faut alors séduire pour
en conjurer la menace, pour éviter la castration,
pour survivre: comme Luc, au fond, a toujours fait,
et comme tant de ses élèves qui tombent en amour
avec lui. Mais la séduction est elle aussi piégée et
castratrice: elle joue le jeu du Père. Ce qui a le plus
blessé Jean-Marc, dans les couraillages clandestins
de Luc, c'est que celui-ci ne lui en ait jamais parlé.
Mais Luc ne le pouvait pas: Jean-Marc l'aurait simplement, calmement renvoyé à l'image d'une «sexualité adolescente». Cela, Luc le savait parfaitement

bien au fond de lui-même (papa a raison, papa a toujours raison). Mais il ne pouvait justement pas se permettre de (se) l'avouer sous peine de décevoir ce père qu'il avait séduit en Jean-Marc. Et pourtant, c'était son désir — tout croche et «adolescent», peut-être, mais le sien! — qui était en jeu. Alors, étouffant, n'en pouvant plus, et malgré les années passionnantes vécues avec Jean-Marc, il a pris la fuite:

> [...] j'ai voulu essayer de voler de mes propres ailes. Ça a donné c'que ça a donné mais au moins je l'ai faitte tout seul!

Mais on sait bien, depuis Œdipe, qu'on n'échappe pas si facilement au Père... (Qu'est-ce que le surmoi, suggérait l'autre, sinon du sexe avec un père dedans!) Il ne s'agit d'ailleurs pas d'un «piège» à sens unique — avec un «méchant père-bourreau» et un «bon fils-victime» —, mais bien plutôt d'une sorte de double bind dans lequel Jean-Marc se trouve pris lui aussi: lui, à qui tout le monde vient confier ses peines et ses ennuis, fait détaler tous ceux à qui il voudrait s'ouvrir de ses propres angoisses.

> Comment ça se fait, donc, que quand vous venez me voir ça s'appelle un appel à l'aide pis que quand moi j'vas vous voir ça s'appelle de l'apitoiement?

Comment ça se fait? Mais c'est tellement clair — et désarmant —: parce qu'on a besoin qu'il soit fort...

Et Luc, au bord des larmes, encore une fois, a besoin que Jean-Marc soit fort :

> Aide-moi. Conte-moi une histoire comme quand j'étais déprimé. Joue à mon père une dernière fois. Quand i' va être mort, j'oserai pus te le demander.

Alors Jean-Marc va raconter à Luc une histoire, celle-là même que Luc lui avait contée lors de leur première nuit ensemble, et qui devrait absolument figurer dans une anthologie — même courte — du meilleur Tremblay : l'histoire du p'tit gars qui avait honte de son père (il avait fini l'école en 3ᵉ année) jusqu'à ce que celui-ci l'amène chez Steinberg, devant les rangées d'étiquettes rouges des soupes Campbell :

> Dans chaque grande ville d'Amérique du Nord y a un pressier dans une imprimerie qui a le secret du rouge Campbell pis icitte, à Montréal, c'est ton père !

L'histoire s'arrête quand le p'tit gars, émerveillé et conquis, était encore un p'tit gars, pis que son père était encore le géant qu'il était alors devenu : «R'gardez ça ! [...] Mon père a inventé le rouge !» Jean-Marc, et Luc, vont lui fournir une sorte de conclusion : à la demande de Luc, Jean-Marc acceptera finalement d'aller faire ses adieux au père de celui-ci. Geste symboliquement très lourd : en aidant au fond le vieil homme à «partir en paix», il contribue par là même à libérer Luc de ce Père auquel il s'est lui-même identifié, et dont Luc, au terme d'un long

22

et douloureux cheminement, est maintenant prêt à se détacher. Ce faisant — on peut en tout cas le dire ainsi —, c'est un peu à sa propre mort en tant que père qu'il acquiesce, aussi bien qu'à l'émergence de l'autonomie de Luc, enfin scellée. Comme si l'un et l'autre consentaient au deuil des rôles qui, largement à leur insu, avaient lourdement hypothéqué leur relation. Quelque part, la liberté est toujours orpheline.

Une chose si fragile et si forte...

«J'parlerai toujours des femmes, disait Michel Tremblay dans une entrevue qu'il accordait au Berdache, mensuel gai québécois, en septembre 1980. Ça sert à rien de me demander de parler des hommes, j'le ferai jamais. Ou, quand j'le ferai, ça sera des hommes ou spéciaux, ou avec une très grosse charge émotive «féminine», tel que la société a décidé de qualifier ça...» Comme ces hommes-femmes, à cheval entre les sexes, que sont Hosanna, Sandra ou la Duchesse. Ou comme le père de Bonjour là, bonjour, dont la «charge émotive», selon Tremblay, fait que «ce n'est pas un homme tel que la société a décidé qu'un homme devrait être». À cet égard, on ne s'étonnera pas forcément de voir Tremblay mettre ici en scène deux hommes homosexuels. Qu'ils soient homosexuels ne suffit pourtant pas à en faire de ces hommes «spéciaux» dont Tremblay dit avoir envie de parler. («Y a-tu quelque chose de plus platte qu'un p'tit couple d'homosexuels heureux!» ajoutait-il également dans l'in-

23

terview du Berdache.) Ce n'est pas parce qu'ils sont homosexuels que Luc et Jean-Marc sont « intéressants » — ou « spéciaux ». Tremblay le sait bien : si l'homosexualité n'est pas une malédiction, ce n'est pas non plus forcément une grâce... C'est, plus simplement, un fait. Mais peut-être aussi, après tout, une chance : ayant appris entre hommes le corps à corps de la passion et de l'amour, Luc et Jean-Marc ont aussi fait le dur apprentissage de quelque chose que la culture occidentale a toujours plus ou moins interdit aux mâles — entre eux aussi bien qu'avec leurs vis-à-vis de l'autre sexe : le corps à corps de la parole, — de celle, plus précisément, qui exprime les sentiments, l'émotion, et surtout peut-être la tendresse : cette chose à la fois si fragile et si forte qui se chuchote encore lorsque les cris de la passion, de l'extase et de la souffrance se sont atténués, et qui, de part en part, traverse ici le dialogue des anciens amants. Miracle ? Vous avez dit miracle ? Oui, en un sens. Celui de l'émergence d'une autre façon d'être mâle, différente de celle de John Wayne, de Ronald Reagan — ou de Jean-Yves Desjardins —, d'une masculinité nouvelle, enfin capable de dire la tendresse. Émergence encore inchoative, certes, mais déjà perceptible dans plusieurs lieux de la culture actuelle, et dont les Anciennes Odeurs, à leur manière, diraient un peu la possibilité, la présence, et l'espoir.

Michel TREMBLAY est né le 25 juin 1942 à Montréal dans un quartier populaire. Après sa 11e année il s'inscrit aux Arts graphiques et de 1963 à 1966 il exerce le métier de typographe à l'Imprimerie judiciaire. Sa première pièce, *le Train*, qu'il a écrite à dix-sept ans, remporte en 1964 le premier prix du Concours des Jeunes auteurs de Radio-Canada.

En 1965, Michel Tremblay écrit *les Belles-Sœurs*. Cette pièce est créée en 1968 par le Théâtre du Rideau Vert à Montréal et sera produite à Paris en 1974 par la Compagnie des deux chaises où elle est reconnue la meilleure pièce étrangère de l'année. Depuis le succès des *Belles-Sœurs* en 1968, Michel Tremblay se consacre entièrement à l'écrit dramatique. Parmi ses pièces les plus marquantes, créées à Montréal, mentionnons: *En pièces détachées* en 1969; *À toi, pour toujours, ta Marie-Lou* en 1971 et reprise en 1974; *Hosanna*, créée en mai 1973, est présentée l'année suivante au Tarragon Theatre de Toronto et, par la Compagnie des deux chaises, au Bijou Theatre à New York en 1975; *Bonjour là, bonjour* en 1974, reprise en 1980 par le Théâtre du Nouveau Monde; en 1976, la Compagnie Jean Duceppe crée *Sainte Carmen de la Main*, la pièce la plus ouvertement «engagée» de Tremblay, jouée en anglais à Toronto en 1978 et reprise en français par le Théâtre du Nouveau Monde à la fin de la saison 1978; *Damnée Manon, Sacrée Sandra* en 1976, reprise en 1980. Ainsi prend fin le «cycle des *Belles-Sœurs* ».

En avril 1980, la pièce *l'Impromptu d'Outremont* est créée à Montréal au Théâtre du Nouveau Monde. Elle est reprise au Théâtre Port Royal de la Place des Arts de Montréal à l'hiver 1980. En 1974, Tremblay signe le scénario de son premier long métrage, *Il était une fois dans l'Est*, réalisé par André Brassard. Un autre film de Tremblay-Brassard, *Le soleil se lève en retard,* sera lancé l'année suivante.

Michel Tremblay a publié en 1978 le premier ouvrage des Chroniques du plateau Mont-Royal, *La grosse femme d'à côté est enceinte*. En 1979, l'œuvre est publiée en France, chez Robert Laffont. Le deuxième roman de ce triptyque romanesque, intitulé *Thérèse et Pierrette à l'école des Saints-Anges*, est publié en 1980. Le troisième, *la Duchesse et le roturier,* paraîtra en 1982.

Depuis 1964, Michel Tremblay a écrit une douzaine de pièces de théâtre, deux comédies musicales, un recueil de contes, quatre romans, quatre scénarios de films. Il a adapté pour la scène des pièces de Aristophane, de Paul Zindel, de Tennessee Williams et de Dario Fo.

Il a reçu en 1974 le Prix Victor-Morin décerné par la Société Saint-Jean-Baptiste de Montréal. En 1976, il s'est vu attribuer la Médaille du Lieutenant-gouverneur de la province de l'Ontario. Il fut plusieurs fois titulaire d'une bourse du Conseil des Arts.

A André Brassard, Hubert Gagnon et Gilles Renaud, avec toute ma reconnaissance.

LES ANCIENNES ODEURS

CRÉATION ET DISTRIBUTION

Les Anciennes Odeurs a été créée au Théâtre de Quat'Sous le 4 novembre 1981, dans une mise en scène d'André Brassard. Le rôle de Luc était interprété par *Hubert Gagnon* et celui de Jean-Marc par *Gilles Renaud*.

Décors et costumes : François Laplante.

PERSONNAGES

JEAN-MARC . . . .   38 ans, professeur de français
LUC . . . .   32 ans, acteur

Michel Tremblay

Sous-sol aménagé en bureau. Jean-Marc est assis à sa table de travail. Il corrige des copies. Il fume la pipe.

JEAN-MARC

Deux fautes rien que dans le titre... Franchement!

Il compte le nombre de copies qui restent.

JEAN-MARC

Onze! Ça finira jamais! *(Il regarde sa montre.)* Pis i'est même pas tard!

Il soupire. Se replonge dans sa copie. Luc entre lentement, regarde autour de lui. Hume les odeurs de tabac.

LUC

Ça sent toujours la même chose, ici-dedans. Tabac à pipe, disques et Gentleman, de Givenchy.

Jean-Marc ne bronche pas.

JEAN-MARC

Tiens, un revenant! J't'ai pas entendu sonner.

LUC

J'ai vu Natacha, en passant à côté d'la cuisine. A l'avait pas l'air de bonne humeur de me voir là.

JEAN-MARC

Arrête donc de l'appeler Natacha. Tu sais qu'i' aime pas ça.

LUC

Je l'appellerais par son nom qu'i s'rait pas plus content de me voir.

JEAN-MARC

Tu t'es encore servi de ta clef, hein? T'as pas sonné.

LUC

Quand on a la clef d'une maison depuis sept ans, j'vois pas pourquoi on s'en servirait pas! *(En souriant.)* Si tu veux pas que j'm'en serve, change de serrure!

Jean-Marc secoue la tête en souriant.

LUC

Pis tu diras à... comment c'qu'i' s'appelle, déjà? Guy? Paul? Yves! En tout cas, tu 'i diras que quand vous êtes pas là j'viens pas renifler dans vos draps pour voir c'que vous avez fait la veille, parce que c'est probablement c'qu'i' pense!

JEAN-MARC

Luc, voyons donc...

LUC

I' aurait voulu que je disparaisse juste parce qu'i' m'a remplacé dans ta vie!

JEAN-MARC

Quand tu viens ici, tu continues à agir comme si tu vivais toujours avec moi pis i' aime pas ça, c'est normal.

LUC

On a visité c'te maison-là ensemble, on l'a aimée ensemble, on l'a achetée ensemble, on l'a habitée ensemble pendant quatre ans, me vois-tu me mettre à sonner pour entrer?

JEAN-MARC

Le passé, c'est le passé, Luc...

LUC

Mon Dieu, t'es profond à soir!

Jean-Marc sourit.

JEAN-MARC

C'que j'veux dire, c'est que pour Yves, t'es de la visite.

LUC

Chus-tu de la visite pour toi aussi?

Court silence.

JEAN-MARC

Oui.

Luc sort de la pièce à toute vitesse. On l'entend monter un escalier, traverser la maison, ouvrir une porte, la refermer. Sonner. Jean-Marc s'est replongé dans ses copies en riant. Luc revient lentement, s'installe dans un gros fauteuil de cuir, très vieux et tout usé.

JEAN-MARC

Tu fais vraiment tout pour qu'i' t'haïsse, hein?

LUC

I' a pas le sens de l'humour. Si i' l'avait, i' m'adorerait!

JEAN-MARC

Tu sais qu'i' est pas tout seul à pas comprendre ton humour, des fois.

LUC

Aie, c'est pas des farces, i' avait un tablier autour d'la taille!

Jean-Marc fronce les sourcils. Puis sourit.

JEAN-MARC

Toi non plus tu comprends pas son humour, j'pense.

LUC

Lui? Mon Dieu! Quand i' fait une farce, j'ai envie de me cacher la tête en dessous d'un coussin.

JEAN-MARC

Quand t'es arrivé, la première fois, i' avait-tu un tablier autour de la taille?

LUC

Je le sais pas, j'ai pas remarqué.

JEAN-MARC

Justement, si i' en avait eu un, tu l'aurais re-marqué...

Court silence. Luc sourit.

LUC

Okay. Un point pour lui. C'est le premier que j'i accorde depuis une éternité. *(Silence.)* Mais moi, au moins, j'aurais fait broder «NATACHA» dans le coin du tablier!

Ils rient doucement tous les deux.

LUC

Tu corriges tes copies?

JEAN-MARC

Ça c'est une question niaiseuse! Tu le vois bien!

LUC

C'est pas une question niaiseuse. C'est une tentative de conversation.

JEAN-MARC

J'travaille, Luc, pis mon travail me fait chier. Pis i' faut que j'le finisse ce soir! De toute façon, tu peux me parler pendant que je corrige, tu l'as toujours fait pis ça m'a jamais dérangé...

LUC

C'est vrai que ça sent toujours la même chose, ici-dedans. Quand j'viens ici, surtout dans le bureau parce que la chambre à coucher m'est désormais interdite, j'ai toutes sortes d'images qui me rentrent par le nez. *(Silence.)* J'sais pas pourquoi le passé sent toujours si bon. *(Silence.) (Il regarde en direction de Jean-Marc.)* Toi, me sens-tu quand j'viens ici?

JEAN-MARC

T'as pas changé de parfum depuis qu'on se connaît, Luc, bien sûr que j'te sens.

LUC

Pis ça te met pas croche?

JEAN-MARC

À quoi ça servirait d'en parler.

LUC

Sens-tu mon parfum, là?

JEAN-MARC

Bien sûr.

Luc sourit.

LUC

Tu serais capable de me dire que ça te rappelle pas des bons souvenirs juste pour me contrarier.

JEAN-MARC

C'qui m'étonne c'est que mon parfum à moi te rappelle rien que des bons souvenirs, justement.

LUC

Fais-toi-z-en pas, i' me rappelle pas rien que des bons souvenirs... J'ai dit que le *passé* sentait bon, c'est pas pareil. Le passé en général.

JEAN-MARC

Pis le présent ?

LUC

Chus pas encore rendu là. Attends un peu. Ça viendra ben assez vite...

Jean-Marc dépose ses copies.

LUC

Ces temps-ci, j'pense souvent aux soirées que j'ai passées, ici, dans le fauteuil, à apprendre mes textes pendant que tu travaillais... Mon Dieu. La paix...

JEAN-MARC

T'es parti parce que tu trouvais que c'tait trop tranquille pis que t'avais l'impression que j'étais en train de t'enterrer vivant.

LUC

Oui, j'sais. Mais c'est pas de ça que je parle. Pis j'dis pas que j'regrette d'être parti. C'est juste... Si on me demandait le temps où j'ai été le plus heureux dans la vie, j'dirais que c'est l'époque où on préparait le Musset, à l'École nationale, pis que j'avais tant de misère avec mon texte. Enfin, avec mes «t» pis mes «d»: «Personne; ce jardin est désert et j'ai fermé la porte de l'étude.»

JEAN-MARC

T'as pus ce problème-là aujourd'hui... Avec c'que tu joues...

LUC, *ironique*

C'est ben ce qui te trompe, mon cher... On a l'intention de remonter *le Chandelier*, la gang de ma classe, pour fêter nos dix ans de vie artistique!

JEAN-MARC

T'as pas envie de jouer Fortunio à ton âge!

Luc se lève, se tourne vers Jean-Marc.

LUC

Touché! R'garde la belle blessure! R'garde le beau poignard! R'garde le sang qui coule...

Jean-Marc sourit.

JEAN-MARC

Au moins, i' est pas dans le dos, tu peux toujours tirer dessus...

LUC

On va monter ça au Quat'Sous. Ça devrait marcher.

JEAN-MARC

En tout cas, ça va être un choc pour tes fans. Sont tellement habitués de te voir faire l'épais à la télévision...

Luc tourne le dos à Jean-Marc.

LUC

R'garde... C'te fois-là, je l'ai bel et bien planté jusqu'à la garde dans le dos!

JEAN-MARC

Excuse-moi.

LUC

T'as pas à t'excuser. J'sais c'que tu penses de tout ça. T'es pas le seul.

JEAN-MARC

Pis toi, qu'est-ce que t'en penses?

LUC

Moi, chus dedans. J'peux pas en penser grand-chose. J'me contente de gagner ma vie. Quand tu fais des concessions de c't'importance-là, tu t'arranges pour pas trop y penser.

JEAN-MARC

C'est-tu de ça que t'es venu me parler?

LUC

Voyons donc! T'es pas mon directeur de conscience, que je sache!

Ils se regardent. Sourient.

LUC

Mon Dieu. Exactement les mêmes mots.

JEAN-MARC

Sur le même ton.

LUC

Au même endroit.

Ils rient. Jean-Marc s'approche de Luc, le prend dans ses bras.

JEAN-MARC

Salut, Luc.

LUC

Salut.

JEAN-MARC

Comment ça va?

LUC

Bien mal.

Jean-Marc ouvre les bras. Luc se rassoit dans le fauteuil.

JEAN-MARC

Ton père?

LUC

Oui.

JEAN-MARC

C'est pour bientôt?

LUC

Quequ'jours tout au plus.

JEAN-MARC

I' est encore conscient.

LUC

Oui. I' veut te voir. C'est pour ça que chus venu.
I' m'a dit qu'i' voulait te parler.

JEAN-MARC

Pourtant, i' sait qu'on n'est pus ensemble.

LUC

I' a jamais su officiellement qu'on était ensemble, Jean-Marc, tu le sais ben. I' le savait, mais i' le
savait pas. Le grand ami de son fils adoré. Les deux
inséparables... Mais i' t'aime beaucoup pis j'pense
qu'i' veut te faire ses adieux...

JEAN-MARC

On s'est pas vu depuis j'sais pus trop combien
de temps... J'saurais pas quoi 'i dire.

LUC

Penses-tu que j'sais quoi 'i dire, moi? Ça fait
deux mois que j'le r'garde mourir, tous les soirs,
pendant trois heures... I' 'i reste juste quelques jours
de conscience, Jean-Marc, tu pourrais faire ça pour

43

lui. Moi, j'ai tellement pus rien à 'i dire... J'ai épuisé
tous les sujets de conversation possibles : j'ai parlé
de la maison, de la famille, de la température, du
trafic sur le boulevard Gouin, de la télévision, de la
nourriture de l'hôpital... Pendant ce temps-là, i' se
contente de regarder la prison de Bordeaux par la
fenêtre. I' répond même pus. I' écoute pus mes farces qui sont d'ailleurs de plus en plus plates pis de
plus en plus rares. J'étais ben naïf ; j'voulais
qu'i' meure le sourire aux lèvres, sans s'en aperce-
voir, pendant que j'i raconterais une histoire ou que
j'm'agiterais autour de son lit en imitant ma tante
Blandine qu'i' a toujours haïe ou ben mon oncle
Hector qui est mort d'épuisement pendant un mara-
thon de grimaces aux noces de sa fille. *(Silence.)*
I' frotte le bord de son drap pour qu'i' aye pas de
plis pis i' regarde dehors. *(Silence.)* Le jour où chus
allé le reconduire à Notre-Dame-de-la-Merci, i' s'est
installé tout seul dans son lit, i' a r'gardé par la
fenêtre, pis i' m'a dit : « La darniére chose que j'aurai
vue, dans ma vie, c'est les murs d'une prison ! »
(Silence.) Des fois j'le r'garde souffrir... J'le vois qui
souffre en se forçant pour me sourire pis j'ai envie
d'i dire : « Meurs donc ! S'il vous plaît ! Meurs ! J'vas
t'aider ! J'vas te tenir la main... J'vas te tenir par le
bras, ça va être moins dur... J'vas aller te reconduire,
mais meurs ! » Quand i' commence à se tordre dans
son lit pis que chus obligé d'appeler une garde-
malade pour 'i faire donner une piqûre, ça l'humilie
pis j'peux pas m'empêcher de brailler... pis i' m'en
veut parce que j'braille. *(Silence.)* Quequ'jours après
son arrivée à l'hôpital, le médecin m'a dit qu'i'
avait arrêté de manger parce qu'i' digérait presque

44

pus rien mais quand chus rentré dans sa chambre i'
s'est tout de suite commandé une soupe. I' disait
qu'i' avait faim! J'ai eu beau 'i dire que ça servirait
à rien de se forcer, i' s'est fâché en m'accusant de
vouloir l'empêcher de se nourrir. Pis quand la soupe
est arrivée... Un chien. I' avait l'air d'un chien battu.
I' me regardait avec des grands yeux en se forçant
pour se rentrer la cuiller dans la bouche comme
pour me dire: « 'gard! J'm'en vas pas, j'mange
encore! » I' tremblait de dégoût pis i' en échappait
partout... (Silence.) Quelqu'un que t'as tant aimé,
que t'as tant admiré! Un chien. (Silence.) Hier,
quequ'minutes après sa piqûre, i' commençait à se
sentir mieux ça fait que j'i ai dit qu'i' fallait que je
m'en aille parce que j'avais une répétition. I' m'a
demandé de m'approcher du lit pis i' m'a pris par
la main... Mon père! Tu peux t'imaginer! J'pense
que j'i avais pas touché depuis l'âge de dix ans!
I' m'a dit tout bas: « C'est dur! Si tu savais comme
c'est dur! R'garde pas ça. Va-t'en! » (Silence.) (Il
se lève brusquement.) J'voudrais pouvoir faire une
crise! J'voudrais hurler à l'injustice, casser des meubles, casser des gueules, me jeter à terre en fessant
à coups de poing sur le plancher mais j'y arrive
pas! J'pleure devant lui pis j'arrive pas à pleurer
quand chus tout seul! Pourtant, dans ma chambre,
ça serait la place! J'pourrais faire tout c'que je veux
pis personne le saurait! Mais j'me couche dans mon
lit, les yeux grands ouverts, pis j'arrive juste à avoir
peur d'la mort. (Silence.) J'ai vu les infirmiers changer son lit, une fois. I' est tellement maigre! I' est
tellement p'tit! Tellement fragile! Je l'ai connu droit
pis fort, le verbe haut pis la chanson facile; je l'ai

connu lutinant ma mère qui se laissait faire tout en protestant parce qu'a l'aimait ça; je l'ai vu, à l'atelier, partir son énorme machine, pis veiller dessus avec amour... J'ai frissonné dans ses bras quand on se tiraillait quand j'étais p'tit pis j'ai frissonné encore plus, plus tard, quand on m'a expliqué le complexe d'Œdipe, à l'école... C't'homme-là a été tellement présent dans ma vie; comment j'vas faire pour vivre sans lui? *(Silence.)* J'ai jamais vraiment pensé à la mort avant maintenant. *(Silence.)* Quand j'me penche sur son lit j'ai l'impression de me pencher sur mon propre avenir pis j'ai tellement peur! À quoi ça sert de tant travailler si c'est pour en arriver là! *(Silence.)* Pis en plus, ça pue! *(Silence.)* T'avais vraiment pas besoin de ça à soir, hein? Mais y a rien qu'à toi que j'peux dire ces choses-là.

JEAN-MARC, *souriant*
J'ai toujours eu le giron généreux et accueillant. C'est même toi qui avais trouvé l'expression.

LUC
Ça m'énervait tellement quand quelqu'un venait se confier à toi comme j'viens de le faire...

JEAN-MARC
Pourtant, tu t'en privais pas, toi...

LUC, *souriant*
J'avais le droit, moi!

JEAN-MARC, *ironique*
J't'appartenais...

LUC, *sur le même ton*
Recommençons pas avec ça, veux-tu...

JEAN-MARC, *après un court silence*

Tes frères, qu'est-ce qu'i' deviennent dans tout ça?

LUC

I' vont pas visiter mon père parce qu'i' sont pas capables de voir ça... Imagine la belle excuse! Ah! j'dis pas qu'i' ont pas de cœur, ça a l'air qu'i' en ont trop; mais pendant ce temps-là c'est moi qui tremble pis qui me révolte devant l'humiliation qu'on fait subir à l'être que j'aime le plus au monde! Chus assis sur une chaise droite, les genoux serrés, les bras croisés pis j'le r'garde s'éteindre doucement en sacrant intérieurement contre l'absurdité de tout ça. *(Silence.)* Chus à veille de perdre patience.

Silence.

JEAN-MARC

J'sais pas quoi te dire. Quand t'es comme ça, personne peut rien pour toi. On peux juste t'écouter. Veux-tu boire quequ'chose?

LUC

C'est toi qui m'offres ça? J'bois pas plusse que j'buvais.

JEAN-MARC

As-tu mangé?

LUC

Non. Mais dérange pas Natacha pour rien. J'ai vraiment pas faim.

JEAN-MARC

J'peux te faire quequ'chose de vite fait...

47

LUC

Dis-moi pas que t'as appris à te débrouiller tout seul? Ça se peut-tu? Tu s'rais vraiment capable de me faire quequ'chose, là, une omelette ou ben donc un sandwich, sans que ça soye complètement dégueulasse?

JEAN-MARC

Nécessité fait loi.

LUC

Comment ça, «nécessité fait loi»? J'pensais que quand t'arrivais de tes cours, le soir, Natacha t'attendait tendrement avec la popote prête...

JEAN-MARC, *l'interrompant*

Yves travaille, Luc. On se sépare les tâches...

LUC

Oups! Touché encore une fois! C'est vrai que moi, à l'époque, j'travaillais pas, j'étais juste un pauvre débutant, ça fait que j'avais plus le temps de te gâter! Mais il ne faut pas oublier que Natacha a un métier! C'est ça que tu voulais dire?

JEAN-MARC

Pas du tout! *(Silence.)* Peut-être.

Ils sourient.

LUC

J'te dis que j'aurais pas le temps de te gâter moi non plus ces temps-ci... Ça fait six mois que j'cours d'un bord pis de l'autre sans prendre le temps de souffler! Mais j'aurais peut-être fini par te dompter; comme Natacha!

JEAN-MARC
Luc, s'il vous plaît, appelle-le donc par son nom!

LUC
C'est drôle, hein, y a du monde, comme ça, qu'on peut pas s'imaginer avec un métier! J'arrive pas à m'imaginer ton chum en dehors de la maison.

JEAN-MARC
Je le sais que tu trouves qu'i' a l'air de rien, Luc, mais franchement!

LUC
J'vois tellement pas Yves en train de s'occuper d'une trâlée de bébés vagissants...

JEAN-MARC
Sont pas si jeunes que ça...

LUC
La dernière fois que chus venu souper, i' m'a conté qu'i' passe ses journées à les changer de couches, t'appelles pas ça jeune, toi? I' travaille dans une garderie, Jean-Marc, pas dans une maternelle; as-tu déjà oublié ça? Dis-moi pas que vous en êtes déjà rendus à pus vous conter vos histoires de bureau! Le p'tit silence après le p'tit déjeuner? Le p'tit nez dans le journal du matin?

Ils se regardent. Jean-Marc baisse les yeux le premier.

LUC

L'aimes-tu?

JEAN-MARC

D'une certaine façon. J'peux pas 'i offrir la grande passion, mais i' le sait.

LUC·

Pis lui?

JEAN-MARC

Si i' m'aime? J'pense qu'i' s'empêche de trop s'embarquer parce qu'i' sait à quoi s'en tenir.

LUC, *doucement*

Tu te laisses encore aimer sans trop répondre. Tous les chums que t'as eus depuis quequs'années on souffert de ça, pis tu continues... Tu les laisses s'attacher à toi sans t'impliquer... tu profites d'eux autres pis un bon jour i' finissent par s'en rendre compte... Pis tu t'étonnes qu'i' te fassent des crises!

JEAN-MARC

C'est une justification que tu veux?

LUC

Des fois j'pense que j'te comprends... mais des fois j'te trouve ridicule. Envoye-toi donc en l'air, un peu, Jean-Marc! Sors! T'es beau, t'as jamais eu de misère à pogner! Fais souffrir ben du monde au lieu de toujours en faire souffrir un à la fois!

JEAN-MARC, *versant deux cognacs*

Pourquoi tu me dis ça, tout d'un coup?

LUC

Tu donnes toujours l'impression d'être tellement raisonnable, tellement contrôlé... Mais moi
j'sais que c'est pas vrai pis ça m'énerve.

Jean-Marc s'approche de Luc, lui tend un verre.

JEAN-MARC

Prends-en un pareil ça va te faire du bien.

*Il se met à genoux à côté du fauteuil de Luc.
S'assoit sur ses talons. Ils boivent.*

LUC

Comme dans le bon vieux temps...

JEAN-MARC

Excepté que dans ce temps-là on se tenait par
la main...

Silence.

JEAN-MARC

Tout c'que t'arrives pas à faire pour ton père ;
les crises, les larmes, la morve qui coule, les yeux
qui dérougissent pas pendant des semaines, je l'ai
toutte fait pour toi, Luc, quand t'es parti, pis tu le
sais très bien. Ça fait pas assez longtemps pour que
tu l'ayes déjà oublié. Ça m'a pris beaucoup de temps
à m'en remettre pis même, des fois, ça fait encore
mal. C'est normal que j'aye pas envie de recommencer ça. *(Silence.)* Ah ! j'parle pas d'amour !
J'parle d'orgueil ! Les peines d'orgueil durent bien plus

longtemps! Quand tu t'es une fois dans ta vie traîné aux pieds de quelqu'un, tu t'arranges pour que ça se reproduise pas de sitôt. Tu te barricades. Tu deviens moins disponible. Plus... raisonnable. C'est pas vrai que chus pas raisonnable, Luc. Je le suis devenu. - Par défensive. Chus foncièrement monogame, que c'est que tu veux, c'est pas de ma faute, chus fait comme ça. T'en as déjà d'ailleurs largement profité! J'aime vivre les choses avec une personne à la fois. La seule fois où j'ai pas été raisonnable avec mes sentiments, justement, c'est avec toi pis j'me sus retrouvé au bout de sept ans sur le plancher de ce qui avait été notre chambre à coucher à hurler de désespoir parce que j'avais appris que tu me trompais à droite pis à gauche pis que j'étais la seule personne en ville à pas le savoir! Ça fait que depuis ce temps-là, j'me méfie. J'continue à avoir juste un chum à la fois mais j'm'implique moins. J'espère que tu peux comprendre. *(Silence.)* Comme ça, si j'apprends que chus encore trompé, ça va faire moins mal. *(Silence.)* Chus devenu raisonnable.

LUC

Ça doit être plate par boutte!

JEAN-MARC

Ta vie est-tu si excitante que ça, Luc?

LUC

En tout cas, j'me pose pas ce genre de problème-là!

Court silence.

52

JEAN-MARC

M'as-tu déjà aimé?

LUC, *très brusquement*

Oui! Oh! oui. Doutes-en jamais! J'baisais à gauche pis à droite, à la fin, c'est vrai, mais j'te trompais pas!

Jean-Marc éclate de rire.

LUC

J'avais essayé de tout t'expliquer ça avant de partir mais tu comprenais pas.

JEAN-MARC

J'comprends toujours pas.

LUC

J'arrive à faire une différence entre mes sentiments pis mes désirs, c'est tout.

JEAN-MARC

Tu te retrouves tout seul, aussi!

LUC

C'est moi qui suis parti, Jean-Marc! Si j'avais vraiment été l'écœurant que t'as claironné partout que j'étais pendant au moins six mois après mon départ, j's'rais resté, pis j't'aurais promis de pus recommencer alors que j'en étais incapable, pis j'aurais continué mon p'tit jeu en m'arrangeant pour que tu le saches pas, c'te fois-là! Là, j't'aurais trompé, Jean-Marc! Mais j't'aimais trop pour ça. Pis j'ai pas plus le goût aujourd'hui de dompter mes appé-

53

tits juste pour avoir un amant popoteux, aussi beau, aussi intelligent soit-il, qui m'attend le soir à la maison, même si je manque de tendresse. Parce que j'en manque, c'est bien évident. Mon lit est froid par grand boutte mais au moins j'fais de mal à personne d'autre qu'à moi-même!

JEAN-MARC

Tu parlais pas comme ça au début de notre relation.

LUC

J'parlais pas comme ça parce que j'me connaissais pas encore assez pis que j'avais peur de m'avouer certains besoins que je pensais laids parce que *tu* les ressentais pas! T'as été mon maître à penser pendant sept ans, Jean-Marc, pis j't'en suis mauditement reconnaissant parce que tu m'as appris à vivre mais mes ailes ont poussé pis mon ciel est pus uniformément bleu!

JEAN-MARC, *ironique*

Oh! Je retrouve là le style d'un certain professeur de français qui jadis essaya de taquiner la muse...

LUC

J'assume mes influences, c'est tout. En parlant d'influences, comment ça va, les écritures?

JEAN-MARC

Si j'ai un conseil à te donner, change donc d'influences...

LUC

Ça va si mal que ça...

JEAN-MARC

J'ai relu mon dernier rejeton, la semaine passée, pis j'ai pris une de ces débarques, mon p'tit gars! Chus un professeur de français à succès pis comme tous les professeurs de français j'devrais m'en contenter.

LUC

T'étais si content, pourtant...

JEAN-MARC

Comme quoi mon ciel est pas uniformément bleu moi non plus, hein? J'pense que des fois tu m'imagines pas mal plus simple que j'le suis vraiment.

LUC

J'ai jamais dit que t'étais simple.

JEAN-MARC

L'as-tu déjà pensé?

Luc se contente de lever son verre à la santé de Jean-Marc.

JEAN-MARC, *après un silence*

Yves est allé passer un mois en Gaspésie, chez ses parents, l'été passé... C'est drôle, j'ai beau dire que je ressens aucune espèce de passion pour lui, j'me sus senti tellement perdu... J'me retrouvais tout seul dans une grande ville où c'est pas les occasions

55

de rencontrer du monde qui manquent, pis j'étais complètement désemparé. Tu te rappelles comment c'que j'avais l'air bête, au mois d'août? J'ai passé mes vacances à guetter des cartes postales pis des lettres qui se faisaient attendre pis ça me mettait dans un état épouvantable. À trente-huit ans!

LUC

C'est ni de l'amour ni de la passion, ça, Jean-Marc, c'est juste de la possession... ou de l'entête-ment. *(Il regarde Jean-Marc.)* *(Moqueur.)* J'suppose que c'est pas si simple que ça?

JEAN-MARC

J'ai rencontré deux ou trois gars qui m'ont com-plètement déprimé. Pas de conversation avant, pas de conversation après, juste des borborygmes pis des cris de gorets qu'on égorge pendant... J'arrive pas à trouver ça excitant. Quand arrive le matin, si le gars a daigné passer la nuit chez vous, tu le jettes com-me un vieux kleenex usagé pis aussitôt qu'i' a passé le pas de la porte, tu te rappelles même pus de son visage. Tu te souviens même plusse de la belle veine qu'i' avait sur la queue que de sa tête! J'aime mieux concentrer mes énergies sur un corps que je con-nais par cœur, que je sais comment faire jouir, sur lequel j'peux m'attarder sans être obligé de faire sans cesse des prouesses, pis dont j'aime les odeurs que je peux continuer à respirer quand on a fini de bai-ser sans les trouver suspectes! Comment ça se fait que la plupart des gars que tu rencontres veulent se garrocher sous la douche trente secondes après avoir éjaculé, juste au moment où ça commence à sentir si bon! Souris pas, Luc! Chaque fois que j'te parle de ça, tu me regardes avec un petit air condescendant pis tu sors ton petit sourire en coin qui m'insulte tant.

LUC

J'me défends comme j'peux parce que j'fais partie de ceux qui prennent leur douche tu-suite après, Jean-Marc! Dis-toi juste que si tu te rappelles plusse de la veine que le gars avait sur la queue que de sa tête, c'est que sa queue était c'qu'i' avait de plus intéressant!

JEAN-MARC

C'est pas toujours vrai! C'est pas vrai pour toi!

LUC

Qu'est-ce que t'en sais? Chus pus le joli disciple turbulent que tu traînais partout avec fierté parce qu'i' faisait des progrès stupéfiants grâce à tes doctes conseils et à tes soins paternels! Tu m'as passionné pendant sept ans pour des choses dont je soupçonnais même pas l'existence avant de te connaître; t'es un admirable professeur qui transmets les choses avec un doigté et une tendresse émouvante; t'as fait de moi un bon acteur, autant sinon plus que mes professeurs parce que t'as une facilité stupéfiante à comprendre d'instinct un texte de théâtre pis à nous l'expliquer comme si on l'avait toujours compris. Mais quand chus sorti d'ici en soupirant d'aise pis en piaillant comme si on venait d'ouvrir la petite porte de ma grande cage, mes prépondérances ont changé, Jean-Marc, pis chus redevenu le p'tit bum à l'affût de jouissances courtes et faciles, furtives,

surtout, parce que j'aime l'anonymat et probablement le danger; chus retourné avec grande excita-
tion dans le noir d'où tu m'avais tiré pour me tyran-
niser avec ton amour exclusif et étouffant; pis j'tâtonne à longueur d'année dans une pièce sombre
remplie d'hommes qui sentent fort pis qui soufflent
fort, qui vibrent pendant quequ'secondes quand on
les touche après s'être fourré dans le nez un médi-
cament pour le cœur, le bienheureux poppers,
l'hostie consacrée de la nouvelle sexualité, qui leur
crève le cerveau pis décuple leur puissance, qui te
salissent en jouissant pis qui se retournent contre le
mur quand c'est fini en rebouchant religieusement
leur bouteille de remède-miracle qui laisse autour
d'eux un relent de volupté mal lavée un peu écœu-
rante. J'te dis pas que c'est beau mais j'veux pas
que tu penses que c'est laid. Parce que j'en ai besoin.
C'est déprimant par boutte, j'dirais même que c'est
souvent déprimant mais j'pense pas que ce soit laid.
Tu donnes un plaisir violent, tu prends un plaisir
violent pis après tu passes aux choses sérieuses.
(Silence.) Les mêmes. *(Il regarde Jean-Marc.)* Y a rien
de plus ennuyant, Jean-Marc, que de te forcer à
converser avant pis après avoir baisé avec un gars
à qui t'as rien à dire pis que tu sais que tu reverras
jamais! La douche est un refuge, un alibi, jamais je
croirai que tu t'en étais jamais rendu compte! Ça
a beau sentir bon quand on a fini de baiser, c'est
plate d'être obligé de faire semblant d'être une
brute qui s'endort aussitôt qu'i' a posé la tête sur
l'oreiller. Pis quand j'sors d'la douche, quand j'tire
le rideau en plastique transparent avec un beefcake
dessiné dessus ou ben donc en imitation de dentelle

58

de coton ou de toile de Jouy, chus prêt à recommencer; chus déjà à l'affût d'yeux qui vont me faire chavirer ou ben d'épaules qui vont me serrer le cœur! J'ai pas encore remis mon jean que j'pense déjà avec émotion au moment où j'vas me le faire arracher! J'tombe en amour dix fois par jour pis quand un gars qui me plaît répond pas à mes feulements ou à mes rugissements, j'ai une grosse peine d'amour de trente secondes: un désespoir profond, un vertige écœurant! C'est bref, okay, mais ça arrive souvent pis j'ai jamais le temps de guérir! J'les veux tous, Jean-Marc! Tous! Pendant que j'peux encore les avoir! Avant que ce soit trop difficile. Avant que ce soit pus possible! J'me promène dans la rue avec la tête dans le dos; j'guette, j'scrute, j'éclate de joie ou ben donc j'm'abîme dans une insupportable prostration, mais j'avance! C'est ma façon à moi de laisser ma marque, mon empreinte! J'avance comme un fleuve pis j'dégorge mes déchats dans l'océan! Pis si y a un oiseau qui s'adonne à passer au-dessus d'mon estuaire, i' va voir la tache que je fais; ma souillure. Un radeau de superbes corps qui m'ont servi une fois pis que j'ai jetés avant même qu'i' sèchent! *(Il s'est levé pendant qu'il parlait.) (Il marche maintenant de long en large.)* Mon Dieu! J'me d'mande pourquoi j'te dis tout ça. C'est pas des choses très délicates à dire à son ancien chum.

JEAN-MARC

Tu t'es jamais gêné...

LUC

J'ai l'impression que j'te parle plus comme à un père... encore une fois. C'est vrai en fin de compte que t'aurais fait un bon père...

JEAN-MARC

Sois pas méchant, Luc, j'ai assez de problèmes avec ça...

LUC

Pour une fois que ça se voulait pas une méchanceté... Dis-moi pas que Natacha t'appelle «daddy»!

JEAN-MARC

Non, c'est pas avec Yves que j'ai de la misère, c'est à l'école...

LUC

Encore les aventures du cégep en folie... C'est vrai que maintenant que tu commences à avoir les cheveux gris, ça doit être pire!

JEAN-MARC

T'as remarqué, hein? C't'effrayant, j'grisonne de jour en jour...

LUC

C'est beau.

JEAN-MARC

Attends d'en avoir...

Luc est revenu se mettre à genoux à côté du fauteuil.

LUC

J'en ai. C'est parce que tu les as pas remarqués. R'garde.

Jean-Marc fouille un peu dans la chevelure de Luc.

JEAN-MARC

Y en quequ's'uns par-ci par-là mais ça vaut vraiment pas la peine d'en parler. C'est vrai que ça doit être pire pour un acteur connu que pour un obscur professeur de cégep!

Luc prend une gorgée de cognac.

JEAN-MARC

Pis moi?

LUC

Quoi, toi?

JEAN-MARC

J'aurais aimé ça avoir un autre cognac...

LUC

Wof, ça me tente pas de me relever. Tu boiras dans le mien. Pour une fois que t'as un acteur connu à tes pieds, comme tu dis, profites-en donc au lieu de te paqueter!

Jean-Marc prend une gorgée dans le verre de Luc.

LUC

Toujours les jeunes hommes lubriques qui tournent autour de l'innocent professeur?

JEAN-MARC

J'aimerais ben ça pouvoir en faire des farces, moi aussi. Mais y a des années où ça prend des proportions alarmantes! C'est de plus en plus difficile d'être honnête...

Luc rit.

JEAN-MARC

Ris pas, c'est vrai! J'ai décidé y a longtemps de toujours dire tout de suite au début de l'année que chus homosexuel, comme ça y a pas de confusion possible pis personne peut venir me faire des farces plates si i' se mettent à s'en douter... Les premières années, ça commençait par étonner mais on n'en parlait pas trop pis y avait toujours quequ'p'tits gênés qui finissaient par venir me conter leurs problèmes au bout d'un mois ou deux... Mais là... Ça a fini par se savoir pis tout le monde l'attend d'avance, ça fait que quand j'viens pour le dire pendant le premier cours i' se trouve toujours un fin fin pour me dire : «On le sait que vous êtes une tapette» ou quequ'finesse du genre... J'ai l'impression d'être un vieux professeur qui fait les mêmes farces au même moment pis que les élèves attendent pour le niaiser! Pis en plus... j'sais pas si c'est la mode, ou si on commence juste à être moins pognés à ce sujet-là, mais, dès les premiers cours, y a une gang de superbes jeunes hommes pis de ravissantes jeunes filles qui se garrochent sur moi pis qui me bombardent de questions et de bien autres choses encore! Y a ceux que ça intéresse pas mais qui veulent savoir comment ça se fait que ça existe; y a ceux que ça intéresserait peut-être, mais juste pour essayer; pis y a ceux qui *veulent*! J'ai décidé y a longtemps que j'aurais jamais d'aventure avec un étudiant parce que ça serait trop compliqué; mais j'te dis que j'ai de la misère! Parce que quand i' veulent, i' veulent! I' ont l'air des petits gars de première année qui apportent une pomme à la maîtresse mais i' sont pas en première année pis c'est pas une pomme qu'i' apportent! Des jeunes adultes de dix-huit dix-neuf ans qui se mêlent d'être beaux, c'est beau rare pis leur résister est bien difficile. I' découvrent la séduction pis c'est sur moi qu'i' l'essayent. I' m'arrive même de leur dire de faire attention, que chus pas fait en bois mais ça sert à rien... I' me r'gardent avec des grands yeux désolés comme si j'étais leur méchant popa qui venait de les gronder... En plus de jouer au professeur qui essaye de les intéresser à une matière qui leur pue au nez, i' faut que je joue au popa compréhensif qui trouve une solution à tout. Même à leurs peines de cœur! I' viennent me conter leurs histoires d'amour en me faisant des yeux de velours; y en a même un qui m'a emmené sa blonde pour que j'i explique son problème parce qu'i' était pas capable d'i en parler tout seul pis i' a fini par m'avouer qu'i' m'aimait secrètement depuis le début de l'année. Pis j'sais même pas si i' riait de moi ou non! J'me demande même si i' était pas arrangé avec sa blonde. Tu finis paranoïaque, c'est pas mêlant!

Luc rit.

JEAN-MARC

Ça doit être drôle à écouter, comme ça, mais vis-le, mon p'tit gars, pis tu m'en diras des nouvelles! J'tourne le dos pour écrire quequ'chose au tableau; j'me fais siffler! J'demande calmement qui c'est qui a fait ça, tous les gars lèvent la main!

Il prend une autre gorgée dans le verre de Luc.

JEAN-MARC

Y en a qui ont des vrais problèmes que j'essaie vraiment de régler mais y en a qui veulent juste flirter pis c'est habituellement les plus beaux.

LUC

Profites-en, chute!

JEAN-MARC

J'veux pas! Si je commence ça, j'en verrai pus la fin...

LUC

Tant mieux...

JEAN-MARC

C'est déjà assez compliqué de tenir tête à vingt ou vingt-cinq étudiants turbulents qui sont pas intéressés par ce que tu leur dis, si i' faut en plus que tu te mettes à avoir des histoires de cul avec eux autres...

LUC

Ça doit être tellement frustrant...

JEAN-MARC, *le coupant*

Ben oui. Mais que c'est que tu veux, j'assume le ridicule de mes principes...

LUC

C'est pas ça que je voulais dire. J'voulais dire que ça doit être frustrant de laisser là-bas tous ces beaux jeunes étudiants fringants pour aboutir ici dans les bras de Natacha...

Ils rient...

JEAN-MARC

Yves, i' est très beau, tu sauras !

LUC

Beau ! Quand i' me tend la main, j'ai l'impression que c'est une porte de verre pis j'ai envie de le pousser contre le mur pour que le monde se cogne pas le nez dessus ! I' est transparent, Yves, et insipide mais, hélas, i' est pas inodore !

JEAN-MARC

Tiens, c'est une nouvelle, ça ! I' sent maintenant !

LUC

Toi, on sait bien, t'as le nez collé dessus, tu le sens pus ! Mais quand i' passe à côté de moi j'sens comme une whiff camphrée pis le cœur me chavire.

JEAN-MARC

T'exagères.

LUC

Bien sûr, que j'exagère. C'est pas le camphre, qu'i' sent, c'est le thé des bois! C'est pire! Si t'es en train de faire son éducation, comme t'as faitte la mienne, y a dix ans, tu devrais 'i montrer à se parfumer moins.

JEAN-MARC

Chus pas en train de faire son éducation...

LUC

Jean-Marc! Tu fais l'éducation de tout le monde que tu rencontres! Même des chauffeurs de taxi! C'est plus fort que toi! T'es venu au monde en montrant au monde à vivre pis tu vas mourir en leur disant quoi faire. T'as beau te plaindre que tes méchants élèves te courent après, t'aimes ça, au fond. T'es un vrai éducateur pis tout ce qui touche les problèmes des autres, leurs tâtonnements, leurs questionnements, leurs chutes, leurs espoirs pis leurs dépressions te passionne! C'est même là ta principale raison de vivre! Pis le jour où tes étudiants vont arrêter de te courir après pour te demander des conseils ou pour autre chose, tu vas tomber comme une chiffe molle pis tu vas commencer à te sentir vieux et indésirable! Au fond, toi aussi tu veux appartenir à tout le monde! C'est pas nécessaire de baiser avec tous les gars que tu rencontres pour tromper ton chum, tu sais! Y a des façons plus subtiles de le faire...

JEAN-MARC

Tu dis ça parce que t'étais jaloux de l'attention que je portais à mes étudiants quand on était ensemble.

LUC

J'dis ça parce que tu viens de parler d'honnêteté, Jean-Marc. Si pour toi l'honnêteté s'arrête au
moment où tu poses la main sur la cuisse de quelqu'un qui est pas ton chum, j'trouve que t'as l'honnêteté pas mal élastique...

JEAN-MARC

J'peux quand même pas m'empêcher de les
trouver beaux quand i' sont beaux...

LUC

Ben non, j'sais ben! Mais arrête de te prendre
pour un héros...

JEAN-MARC

J'me prends pas pour un héros!

LUC

Tu te souviens quand t'étais tombé en amour
avec le p'tit baveux à Lemieux...

JEAN-MARC

Bon, ça y est, encore ça!

LUC

Ben oui, encore ça; c'est un excellent exemple!
T'as été amoureux de ce gars-là pendant tout un
semestre; tu dormais pus, tu braillais dans ton coin
pis moi j'savais pus quoi faire parce que j'me sentais
abandonné... T'as jamais baisé avec mais tout le
temps que tu l'as désiré, tu me trompais, Jean-Marc,
pis autant que moi j'te trompais en me faisant aller
avec n'importe qui comme j'le faisais...

Jean-Marc se lève brusquement.

JEAN-MARC

Au moins, j'ai lutté! Laisse-moi au moins ça! J't'ai au moins respecté en te racontant tout pis en te demandant d'être compréhensif parce que j'savais bien que ça finirait par passer... L'honnêteté s'arrête pas au moment où tu poses la main sur la cuisse de quelqu'un qui est pas ton chum, l'honnêteté s'arrête quand tu 'i caches! J't'ai jamais rien caché, moi, Luc...

LUC

Si j't'ai caché des choses, c'est parce que t'étais pas prêt à les prendre. Pis que j'étais peut-être pas capable de les expliquer parce que j'les comprenais pas. C'est difficile, tu sais, d'avouer que t'es en train de tomber de plus en plus dans ce que ton chum appelle «une sexualité adolescente» en plissant le nez pis en prenant des airs de vierge effarouchée. C'que j'faisais aurait scandalisé tes petits principes; ça fait que j'faisais semblant que j'savais à peine que ça existait, les bosquets de parcs publics pis les sous-bois du mont Royal alors que j'y dépensais une grande partie de mes énergies. Quand j'me sus retrouvé après tant d'années à refaire du touche-pipi en groupe, en grappe, en équipe, en essaim pis en vain parce qu'après tu te sens ben tu-seul, j'me sus senti comme un boy-scout qui découvre grâce à ses petits camarades que son pénis sert pas juste à faire pipi, pis... Ah! j'ai pas eu honte, mais j'me sus effectivement trouvé ben adolescent pis j'me sus dit: «Le maudit, i' a encore raison!» Mais j'aimais ça!

Ça m'excitait! J'aime encore ça! Ça m'excite encore! Pis si j'te l'ai pas dit, à l'époque, c'est peut-être par honnêté, moi aussi.

JEAN-MARC

T'as attendu qu'une âme charitable qui t'avait reconnu dans le noir vienne me le dire... Si je l'avais pas appris, à ce moment-là, Luc, s'rais-tu encore avec moi, aujourd'hui, à me le cacher...

LUC

Voyons donc! Des fois j'doute de ton intelligence qui pourtant est très grande, Jean-Marc! Chus parti pour ben d'autres raisons. En particulier pour me prouver que j'pouvais vivre sans ta tutelle. J'sais pas si tu sais à quel point t'es écrasant dans la vie de quelqu'un! J'voulais pas continuer à vivre dans ton ombre, ça faisait assez longtemps que tu jouais les mentors, j'ai voulu essayer de voler de mes propres ailes. Ça a donné c'que ça a donné mais au moins je l'ai faitte tout seul!

Il lève la tête vers le plafond.

LUC

J'sais pas pourquoi j'pense à ça, tout d'un coup, mais j'ai l'impression que Natacha est à quatre pattes dans le salon avec l'oreille collée sur le plancher pour écouter c'qu'on dit...

JEAN-MARC, *souriant*

Tu fais de la projection... Toi, t'aurais fait ça...

LUC

C'est vrai. Mon Dieu! Tu me connais tellement que tu me fais peur! J't'ai-tu espionné, rien qu'un peu, pendant tout le temps qu'on a été ensemble! J'trouve ça tellement drôle, quand j'y pense.

JEAN-MARC

C'est toi qui couraillais pis c'est toi qui me guettais dans l'espoir de me prendre en défaut...

LUC

J'espérais pas te prendre en défaut...

JEAN-MARC

Luc, voyons donc! Si tu m'avais pris en défaut tout aurait tellement été plus facile! Tu fouillais mes poches dans l'espoir de trouver un bout de papier avec un nom pis un numéro de téléphone écrits dessus; tu faisais le tour des cendriers quand tu rentrais tard parce je fume la pipe pis que toi tu fumes pas; tu me suivais quand je partais sans te dire où j'allais. Si tu m'avais surpris avec un autre gars, Luc, tu m'aurais probablement sacré là sans jamais me dire ce que tu faisais depuis des années!

LUC

C'est pas parce que tu te penses honnête qu'i' faut que tu penses que tout le monde est malhonnête autour de toi!

JEAN-MARC

C'est vrai, excuse-moi... J'pensais pas c'que j'ai dit...

LUC

J'espère!

Jean-Marc vient se mettre à genoux en face de Luc.

JEAN-MARC

De toute façon, c'est avec moi-même que je devrais être honnête. Pis j'ai ben de la misère ces temps-ci. J'me sus rendu compte d'une chose bien difficile à prendre, y a pas longtemps. Tu me parlais de mes écritures, quand t'es arrivé... En relisant cette chose inqualifiable que j'osais appeler roman... Comment dire ça... C'est la première fois que j'essaie de le mettre en mots. J'ai relu tout ça, du début à la fin... C'est propre, c'est bien écrit (c'est ben le moins, chus professeur de français), c'est relativement bien construit mais c'est irrémédiablement plate. Tu m'as jamais dit grand-chose sur c'que j'écrivais, Luc. Tu lisais ça, pis tu me disais que c'était intéressant... Quel mot affreux. Intéressant! Qu'est-ce que ça veut dire, intéressant! Mais t'avais raison. Y a rien d'autre à en dire quand on veut être très très très généreux. Parce que ça n'a aucune espèce d'envergure. Tout simplement. J'ai pas d'envergure, Luc, pis c'est bien difficile à prendre quand t'as eu des prétentions à l'écriture. C'est ça que les différents éditeurs que j'ai approchés ont toujours essayé de me faire comprendre poliment : c'que j'écris est profondément ennuyant pis, surtout, profondément inutile. Ça décolle jamais. Ça se contente de dire c'que ça dit, pis ça dit pas grand-chose. Si tu savais comme c'est difficile à prendre. Être quelconque. Quand on a voulu

71

changer le monde. Quand on écrit c'est dans l'espoir de changer quequ'chose dans le monde, Luc, mais quand on réussit la grande prouesse d'intéresser personne parce qu'on manque d'envergure, on devrait avoir l'intelligence de l'assumer pis de rester enfermé chez soi. C'est probablement pour ça, d'ailleurs, que j'ai passé ma vie à jouer les mentors avec des gars plus intéressants que moi ; des gars que je savais bourrés de talent pis que je poussais à agir. J'ai dû vous suggérer inconsciemment un cheminement que je savais que je pourrais jamais parcourir moi-même parce que j'avais pas de talent, justement... Tu parlais du petit Lemieux, tout à l'heure... C'est peut-être pas de lui que j'ai été amoureux, après tout, c'est peut-être de son talent ! Comme j'ai été amoureux du tien. Quand j'écoute ses disques pis quand j'te regarde jouer à la télévision ou au théâtre, j'me dis qu'y a une parcelle de moi qui passe à travers vous autres... C'est mon dernier espoir. Y a une partie de moi sans envergure que vous avez réussi à transposer, à transcender, qui fait que j'me retrouve un peu dans c'que vous faites... Une façon de froncer les sourcils quand tu parles qui vient de moi pis le mot «profondément» que lui emploie à tout bout de champ dans ses chansons... J'aurai servi à ça. Juste à ça. Mais c'est dur à prendre. Parce que c'est pas assez ! Parce que c'est injuste ! J'aurais voulu laisser une trace, tu comprends, un sceau, une griffe, une marque, moi aussi ! J'aurais voulu laisser une marque indélébile sur le monde alors que personne va se rappeler de moi, juste de mes disciples, comme tu les appelles en t'en moquant un peu parce que t'en fais partie ! *(Silence.)*

Vous aurez eu un bien petit maître. (*Silence.*) Quand j'me fais la barbe, le matin, pis que par accident mes yeux se rencontrent dans le miroir, y a un mot effrayant qui me vient à l'esprit pis j'reste figé pendant quequ'secondes avant d'essayer de l'oublier. Mais faut que j'i fasse face, un jour. Et te le disant, j'vas peut-être arriver à l'accepter. (*Silence.*) Médiocrité. (*Luc prend une gorgée de cognac, donne le verre à Jean-Marc.*) Quand j'étais p'tit, c'tait pas un écrivain que j'voulais devenir, c'est un acteur. Un acteur de cinéma. Pas pour jouer des personnages, j'comprenais pas c'que c'était, mais pour m'évader de l'école que j'haïssais tant pis de ma famille que j'trouvais ennuyante. Quand arrivait un moment particulièrement difficile de ma vie d'enfant secret pis trop sensible, j'avais inventé un truc qui me mettait dans un état d'exaltation extraordinaire pis j'oubliais tout. J'imaginais qu'y avait une caméra qui me suivait partout, qui enregistrait tous mes gestes pis qui me les projetait au fur et à mesure dans ma tête. Si j'avais une commission à faire ou un examen particulièrement difficile, j'me disais: «La caméra commence!» pis j'me voyais venir de loin dans la vue ou ben à mon pupitre en train de sécher sur un problème d'arithmétique pis tout devenait intéressant parce que ça se passait sur un écran. J'ai passé à travers les moments les plus affreux de mon enfance à me regarder jouer sur un écran imaginaire mon propre rôle dans un film passionnant et sans fin. Des fois, aujourd'hui, j'essaye de faire la même chose mais ça marche pas, évidemment. Peut-être parce que j't'ai connu pis que j'sais maintenant c'que c'est qu'un acteur. Quand j'essaye de retrouver c't'état de grâce-là qui me faisait tant de bien, j'te vois, toi, dans mon rôle, pis j'me demande pourquoi t'as accepté de jouer un personnage aussi ennuyant.

LUC

Mon Dieu. Moi qui étais venu ici pour me faire consoler. (*Avec un petit sourire, pour changer la conversation.*) En tout cas, dis-toi bien que c'est pas avec Natacha que tu vas continuer à avoir des complexes au sujet du talent de tes chums !

JEAN-MARC

Essaye pas de détourner la conversation, Luc, c'est déjà assez dur comme ça.

LUC

T'as toujours eu une propension naturelle à l'apitoiement pis quand tu commences à glisser sur ce terrain-là, j'sais pus comment te repêcher ; ça fait que j'fais des farces. Si t'as décidé que t'étais médiocre, j'y peux probablement rien, c'est ben ça qui est triste. Que j'te dise n'importe quoi tu me croiras pas. Si j'essaye de te convaincre du contraire, tu vas prendre un malin plaisir à démolir tous mes arguments un par un en soulignant leur faiblesse pis leur manque de maturité. Ça va finir comme toujours, en concours d'intelligence pis de démagogie, pis comme toujours tu vas gagner parce que t'es plus intelligent que moi pis que t'as trouvé la démagogie dans ton berceau en venant au monde ! Mais essaye pas de me convaincre que t'es plus médiocre que moi, à soir, parce que si on commence ce concours-là, on risque d'aller tellement loin qu'on n'aura pas envie de se voir pour un bout de temps, après!

JEAN-MARC

J'veux pas commencer un concours, j'te dis juste des choses que j'viens de découvrir pis que j'ai pas encore dites à personne! Yves est trop jeune ou en tout cas pas assez mature pour les comprendre pis mes «confrères» sont probablement dans la même situation que moi. J'te parle à toi, Luc, pour les mêmes raisons que t'es venu me voir à soir: on est tous les deux la seule personne en qui l'autre peut avoir confiance! Moi aussi j'tâtonne! Moi aussi j'hésite pis j'me pose des questions! Jusqu'ici, j'considérais ma vie comme une relative réussite: j'faisais un métier que j'aimais tout en essayant d'en avoir un deuxième, plus gratifiant, plus prestigieux, aussi; mais j'y suis pas arrivé pis tout c'que j'ai réussi à faire c'est stimuler chez les autres c'qui me manquait, le talent! C'est dur à prendre, tu sais; c'pas drôle de se regarder dans un miroir, un bon matin, pis de se dire qu'on n'a pas de talent! Ben ça me pose des maudits problèmes parce que chus rendu à la moitié de ma vie pis que j'ai peut-être pas envie que la deuxième ressemble à la première!

LUC

Mais que c'est que tu veux que j'te dise, au juste? Que c'est vrai que t'es médiocre? J'le pense pas! Je l'ai jamais pensé pis j'le penserai jamais! *(Plus doucement.)* Parlons d'autre chose, Jean-Marc, on tourne autour d'affaires qui sentent pas bon.

Silence.

JEAN-MARC

C'est vrai, en fin de compte, que le confession-
nal, ça marche juste dans un sens, hein? Tous ceux
qui viennent à moi, mes amis comme mes élèves,
pour me déverser su'à'tête leurs bobos, leurs coli-
ques pis leurs humeurs suspectes, tout ce beau
monde-là qui me regardent avec des airs suppliants
pour que j'leur vienne en aide, i' se raidissent pis i'
se cachent la face dans leurs mains quand moi j'ose
aborder mes problèmes... Comprends-tu ça? Comment ça se fait, donc, que quand vous venez me voir
ça s'appelle un appel à l'aide pis que quand moi
j'vas vous voir ça s'appelle de l'apitoiement?

LUC, *doucement*

J't'admire, Jean-Marc, pis si tu te mets dans la
tête de me prouver ta médiocrité, j'ai ben peur que
t'en sois capable même si j'considère que c'est faux,
pis j'vas toutte faire pour l'éviter.

Silence.
Ils se regardent longuement.

JEAN-MARC

C'est correct. *(Sourire triste.)* Tu vois comme
chus raisonnable.

LUC

On devrait parler plus fort. J'ai l'impression
que Natacha vient de sortir son couteau de cuisine!
(Court silence.) Sont tellement faciles à faire, ces
farces-là...

76

JEAN-MARC

J'te le fais pas dire.

LUC

Mais j'peux pas m'en empêcher... *(Silence.)*
l' est tellement ridicule, Jean-Marc, comment tu
fais?

JEAN-MARC

Quand j'vas remonter, tout à l'heure, y a deux
grands yeux bleus qui vont m'attendre avec anxiété
pis que j'vas rassurer d'un sourire; y a un p'tit cœur
qui va se desserrer de soulagement; y a deux grands
bras qui vont s'ouvrir pis j'vas toutte oublier c'qui
s'est passé ici... pour quequ'temps. *(Il se passe la
main sur le front.)* Si tu veux pas que j'te parle de
médiocrité, Luc, pose-moi pus de question.

Court silence.

LUC

J'sais tellement pas quoi faire quand t'es comme
ça... J'ai juste envie de me sauver. De toute façon,
j'vas partir bientôt... J'veux passer à l'hôpital avant
d'aller me coucher, pis j'ai une répétition demain
matin.

JEAN-MARC

Le Chandelier?

LUC

Non, pour la télévision.

JEAN-MARC

T'as l'air abattu quand tu dis ça...

LUC

Y a de quoi, non?

JEAN-MARC

Quand t'as signé ton contrat, l'année passée, tu m'as dit que ça te ferait très bien gagner ta vie pis que ça te permettrait de faire c'que tu veux, au théâtre...

LUC

Ben oui, l'éternelle excuse. Faut mettre du beurre sur son pain. Mais j'savais pas que ça serait si mauvais que ça. Le projet était intéressant pis tout le monde était content. Mais là chus pogné dans l'engrenage pis c'est loin d'être drôle.

JEAN-MARC

Le public aime ça. Pis ça te fait connaître.

LUC

Ben oui. Le public aime ça. Pis ça me fait connaître. Une découverte de trente-deux ans! *(Doucement.)* Si tu veux pus que j'te parle de mes problèmes, Jean-Marc, j'vas m'en aller.

JEAN-MARC

Ben non. C'est correct. Effectivement, j'te regarde faire un fou de toi, toutes les semaines, pis j'me dis que tu dois être ben malheureux. Mais t'en parles jamais.

LUC

C'est parce que ça me fait peur. C'est rendu grave, tu sais. J'avais déjà entendu parler des acteurs de télévision que le public finissait par confondre avec leurs personnages mais j'pensais jamais que ça pouvait aller aussi loin. Pendant dix ans, j'ai fait des choses un peu partout, des choses qui étaient bonnes, j'pense, pis même excellentes, des fois, mais j'avais l'impression que personne savait que j'existais. J'étais aussi inconnu du grand public y a un an que quand chus sorti de l'École nationale! Pis là, tout d'un coup, j'me mets à jouer un épais qui zozote, à la télévision, un personnage sans aucune espèce de consistance, pis le public au grand complet tombe en amour avec moi! Les enfants m'imitent à tel point que les éducateurs commencent à m'accuser de vouloir faire du Québec un pays de zozoteux! Au début, j'aimais ça me faire arrêter dans la rue ou dans le métro mais j'me sus vite rendu compte que presque personne savait mon vrai nom pis qu'on me confondait avec mon personnage! C't'effrayant, quand j'réponds au monde sans zozoter, y en a qui sursautent tellement y sont déçus! Mon personnage est en train de l'emporter sur ma propre personnalité pis j'le prends pas! *(Silence.)* Jean-Marc, chus sur le bord de trouver que le public est épais, pis j'veux pas!

JEAN-MARC
Peut-être que tu généralises trop...

LUC
C'est dur de pas généraliser quand tu passes ton temps à te faire appeler par un nom qui est pas le tien! J'reçois des lettres pis des téléphones tellement pitoyables, si tu savais! Des déclarations d'amour, des demandes en mariage! Y a des filles qui m'en-

voient des photos cochonnes en me donnant des rendez-vous. Y a même un ancien professeur de diction qui m'a offert des cours pour me guérir de mon zozotement, imagine! C'est rendu trop gros pour moi pis chus sur le bord de tout lâcher. Quand j'vas entrer sur la scène du Quat'Sous, en Fortunio, le monde vont-tu me montrer du doigt en disant: «Wouaaaa! Comment c'qu'i' s'est déguisé, donc!» Pis quand j'vas me mettre à parler à la française i' vont-tu rouler dans les allées? Je le sais que j'exagère mais tout ça me terrorise tellement! Quand j'vois ça j'me demande pourquoi on court après le succès. C'est-tu ça, le succès? Pis y a-tu vraiment du monde qui aime ça? C'est pas moi qui vas jouer Fortunio, c'est le zozoteux! Chus pas devenu un acteur pour jouer juste un rôle! Pis un mauvais par-dessus le marché! J'vas-tu mourir en disant: «Zautadis de zautadis que les femmes zont donc pas zimples», comme j'le fais tous 'é semaines en gros plans devant des millions de téléspectateurs hilares? J'joue un personnage abrutissant dans une série de télévision abrutissante pis le monde adore ça! Quand on arrive à la première répétition, le lundi matin, on est tellement confondus toute la gang par les niaiseries qu'on a à dire qu'on se sent obligés de changer les choses qu'on trouve trop effrayantes! On coupe, on améliore un petit peu, mais même là, c'qu'on fait, c'est de la marde! Pis ça pogne! Ça aussi c'est de la médiocrité, Jean-Marc! De la médiocrité collective et consentante! C'est ben pire! On flatte les instincts les plus bas de ceux qui nous regardent, on fait les farces les plus graveleuses, à mots couverts mais quand même très évidents, pis nos cotes d'écoute montent en flèche! Y a des émissions à côté de la nôtre qui essayent d'éduquer un peu le monde pis y a à peu près personne qui les regarde parce que ça les fait pas rire! J'veux ben être là pour faire rire, j'accepte d'être une détente mais j'veux que ça veuille dire quequ'chose! Pis j'veux que le public fasse une différence entre moi pis c'que j'joue! Chus tanné de patiner, de tergiverser pis de répondre par des demi-mensonges quand on m'intervieuwe! Chus tanné de parler à des journalistes qui savent très bien que chus gai mais qui insistent quand même pour que j'leur parle de mes blondes! Chus surtout tanné que le monde pense que chus vraiment en amour avec la fille qui joue ma blonde dans le programme! Pis elle aussi! Des fois j'ai envie de donner une interview oùsque j'dirais une fois pour toutes que chus homosexuel, ça réglerait le problème!

JEAN-MARC
Ta vie privée regarde personne!

LUC
C'est pas vrai! Hélas! Tant et aussi longtemps que j'ai été un obscur acteur que personne connaissait j'avais une vie privée qui regardait personne mais là chus sollicité de tous bords pis de tous côtés pis chus tanné de mentir! C'est toute la série de mensonges que chus obligé de faire que j'prends pas! J'veux pas faire de moi un héros, un porte-bannière, j'veux juste qu'on me prenne pour moi si on s'intéresse à moi. J'veux qu'on me trouve bon, j'veux qu'on me trouve beau, chus un acteur pis un

acteur c'est exhibitionniste, mais justement, j'veux qu'on me prenne pour un acteur! Pour quelqu'un d'autre qu'un personnage! Pis ça serait peut-être la seule façon de le faire... Y aurait quequ' réalisateurs de télévision pognés qui voudraient pus entendre parler de moi, après, y aurait même sûrement une partie de mes fans qui attraperait l'air bête mais au moins tout s'rait clair.

JEAN-MARC

Si j'étais méchant j'te dirais que tu risquerais de continuer à recevoir autant de courrier mais qu'i' serait juste un peu différent.

LUC

J'y ai pensé. Chus capable de dealer avec ceux qui sont comme moi. Chus pas capable de dealer avec les femmes qui savent pas que chus gai. Dans mon milieu, y a pas de problème, tout le monde le sait, pis c'est un milieu privilégié pour nous autres... Mais j'veux pus tromper le monde qui croient tout c'qu'on leur dit pis qui ont fini par me prendre pour un bourreau des cœurs parce qu'i' m'ont vu au bras des plus belles filles de Montréal depuis un an!

JEAN-MARC

Tu m'as dit que tu les trouvais épais...

LUC

J'les trouve épais par boutte, mais c'est pas une raison pour en profiter! J'aime mieux que quelqu'un me crie des bêtises quand j'le rencontre sur la rue parce qu'i' me trouve malade pis anormal, plutôt qu'i' se mette à me dire que chus donc drôle pis donc sympathique parce qu'i' me prend pour quelqu'un qui existe pas! (*Petit sourire.*) Pis, si ça me coûte ma «carrière», je r'viendrai corriger des copies avec toi.

JEAN-MARC

J'sens qu'y a une p'tite farce sur Natacha qui s'en vient...

LUC

Pas du tout! Tu vois comme tu me juges mal! (*Silence.*) Quand mon père va mourir, si jamais j'fais les premières pages des journaux à potins, j'veux que ce soit de mon père à moi qu'on parle, pas de celui du zozoteux!

JEAN-MARC

Tout ça, ça serait très courageux de ta part, mais y a quelqu'chose que j'comprends mal.

LUC

Dis-moi pas que j'ai tort, Jean-Marc. Pas toi.

JEAN-MARC

J'dis pas que t'as tort, mais j'trouve que les raisons pour lesquelles t'as envie de faire ça sont peut-être pas les bonnes. Si t'étais hétérosexuel, Luc, t'aurais le même maudit problème d'identification avec ton personnage mais comment tu ferais pour t'en sortir? Te sentirais-tu obligé d'inventer un scandale juste pour qu'on te différencie de lui? Si tu déclares devant tout le monde que t'es gai, au risque de perdre des jobs, des amis, des alliés, i' me semble qu'i' faudrait que ce soit par solidarité, pas juste pour exorciser un personnage qui est en train de t'envahir.

LUC

T'sais, moi, les causes...

JEAN-MARC

C'en est une, que tu le veuilles ou non. Pis tu pourrais pas t'en dissocier, justement parce que t'es une figure publique!

LUC

Fais-moi pas la morale, Jean-Marc, j'ai toujours ben haï ça!

JEAN-MARC

Luc, si toi, au fond de toi-même, t'as pas envie que ça se sache parce que tu veux pas devenir un porte-bannière, comme tu dis, dis-le donc pas.

LUC

J'sais qu'Y a une gang d'épais qui voudront rien comprendre mais y a sûrement du monde quequ'part qui vont être capables de le prendre, jamais j'croirai!

JEAN-MARC

T'as toujours prêché pour le mystère pis la marginalité, qu'est-ce qui te prend tout d'un coup, de vouloir aller crier ça sur les toits? T'as toujours été fier de ta différence, tu disais que t'avais besoin de la complicité que tu retrouvais dans notre milieu, que ça te stimulait, que le créateur en toi s'en nourrissait, que tu pourrais pas fonctionner dans un milieu trop straight parce que tout le monde est pareil! Même quand on était ensemble, tu riais de ce que tu appelais «les p'tits couples de tapettes straight» que tu trouvais irrémédiablement plattes! Tu me disais toujours: «Dis-moi qu'on n'est pas plattes de même! Rassure-moi!» Ça fait que viens pas me dire que t'as vraiment envie de devenir la tapette de service, propre, rangée, pas dangereuse, aseptisée et discrète que tout le monde va vouloir que tu deviennes! Quand tu vas avoir dit à tout le monde que t'es gai, i' vont vouloir en savoir plus! C'est une grosse nouvelle pis ça va porter à des gros commérages! Quand tu dis que tu veux pas faire de toi un héros, j'te crois, mais tu risques d'en devenir un pareil pis ça te ressemble tellement pas! J'te connais, dans trois mois tu vas avoir envie d'envoyer chier tout le monde avec ça! Vas-tu aller leur conter tes trips de cul comme tu me les as contés à soir? Ben non; tu vas plutôt te sentir obligé de t'inventer un p'tit chum cute pour rassurer le monde! Ça aussi, ça serait des mensonges! Pis peut-être plus médiocres que les autres!

LUC

Jean-Marc, tu me mêles! De toute façon, le pire qui pourrait m'arriver ce serait qu'on m'enlève mon zozoteux. Imagine! J'irai gagner ma vie ailleurs. En attendant j'vas aller voir mon père à l'hôpital, c'est plus important que tout ça...

JEAN-MARC

C'est tout? La discussion est close?

LUC

Ça sert à rien de discuter jusqu'à demain matin, on réglera rien, c'est ben ça qui est plate. *(Silence.)* T'as peut-être encore raison, Jean-Marc, pis ça me met en fusil! Ah! pis non, tiens, t'as pas raison! Le monde, là, i' le sauront, pis si i' sont pas contents, i' se le fourront dans le cul! Si i' sont pas capables de le prendre, j'disparaîtrai dans'brume pis je redeviendrai un acteur marginal et méconnu qui sait c'qu'i' veut pis à qui ça fait rien d'aboutir dans la colonne des «que sont-ils devenus?»! «Vous souvenez-vous du comédien qui jouait le rôle d'un zozoteux, à la télévision, il y a quelques années? Il est maintenant waiter dans un bar!» Ben oui, i' est waiter dans un bar, i' fait cinq cents piasses par semaine sans rire de personne pis i' vous envoye toutte chier! J'sens que j'vas toutte sacrer ça là, moi... J'aime ça passionnément être un acteur, Jean-Marc, c'est ma vie, mais calvaire, j'voudrais le faire sans fourrer personne! Pis si c'est pas possible... j'voudrais avoir la force de me retirer dignement avant d'avoir trop de choses à me reprocher. J'vas jouer Fortunio, bientôt... C'est un des grands rêves de ma vie... Pis i' faut que j'le fasse maintenant, pendant que j'peux encore avoir l'air d'un p'tit jeune homme romantique. Dans pas longtemps, ça sera pus possible... Mais j'voudrais pas que ça devienne un numéro de cirque que le monde vont voir pour les mauvaises raisons! J'veux qu'on vienne me voir, moi, jouer du Musset! Ça y est, ça s'en vient!

JEAN-MARC

Quoi, donc?

LUC

J'vas brailler. J'pense que j'vas brailler.

*Jean-Marc se lève à son tour, prend la place de
Luc dans le fauteuil. Luc vient se mettre à genoux à la place de Jean-Marc.*

LUC

Aide-moi. Conte-moi une histoire comme
quand j'étais déprimé. Joue à mon père une dernière fois. Quand i' va être mort, j'oserai pus te le
demander.

*Pendant tout le récit de Jean-Marc, Luc pleurera
silencieusement, les bras croisés, le corps pen-
ché par en avant. Jean-Marc parle lentement,
très tendrement, comme s'il s'adressait vraiment
à un petit garçon.*

JEAN-MARC

Une fois, c'tait un p'tit gars qui avait honte
de son père parce que son père était pas allé à
l'école longtemps pis qu'i' savait pas grand-chose.
Pis, en plus, le père du petit gars parlait fort dans
le tramway, parce qu'y avait encore des tramways
dans ce temps-là, pis ça gênait ben gros le petit
gars qui rougissait pis qui allait même jusqu'à faire
semblant qu'i' connaissait pas c'te grand homme-là
qui parlait fort à tout le monde en faisant des grands

gestes pis qui sifflait quand i' avait pus rien à dire. Tu comprends, les premières années qu'i' allait à l'école, son père 'i aidait à faire ses devoirs tous les soirs pis le petit gars était ben content mais au bout de sa troisième année, son père l'avait pris à part pis i' 'i avait dit: «C'est icitte que j'me sus t'arrêté. J'peux pus continuer avec toé. Faut que tu 'i alles tu-seul.» Pis le p'tit gars avait eu honte. Mais un bon jour, le père s'en était rendu compte pis pour re-gagner l'admiration de son petit gars, i' l'avait pris par la main, un bon samedi matin pis i' l'avait amené au nouveau Steinberg tout neuf au coin de Mont-Royal pis Bordeaux. Pis là, là, i' avait pris le petit gars pis i' l'avait planté devant la rangée de soupes Campbell pis i' 'i avait dit: «'gard ben ça, mon boy. Tu vois toutes les étiquettes rouges qu'y a sur les boîtes de soupes Campbell? Tu vois, le rouge, sur les étiquettes, i' est toutte pareil, y a pas deux boîtes qui ont un rouge différent. Tu comprends, ça serait pas beau pis le monde verrait que ça a pas toutte été faitte en même temps... Ben c'est moé qui les imprime! Dans chaque grande ville d'Amérique du Nord y a un pressier dans une imprimerie qui a le secret du rouge Campbell pis icitte, à Montréal, c'est ton père!» À partir de ce jour-là, le père avait grandi dans la tête du petit gars; i' était devenu l'homme le plus important du monde pis même, des fois, le petit gars prenait une gang de ses amis ou de ses camarades d'école, i' es amenait chez Steinberg, i' es enlignait devant les tablettes de soupes, pis i' leur disait: «R'gardez ça! C'est mon père qui a faitte ça! Mon père a inventé le rouge!»

Luc s'essuie les yeux, d'abord avec ses paumes,
puis avec sa manche de chemise.

JEAN-MARC

L'histoire dit pas c'qu'i' sont devenus. L'histoire
s'arrête quand le p'tit gars était encore un p'tit gars
pis que son père était encore un géant.

LUC

Tu me l'avais jamais contée, celle-là...

JEAN-MARC

J'attendais que tu sois prêt.

LUC, *encore bouleversé*

J'me demande où c'est que tu les prends, tes
histoires.

JEAN-MARC

Ça, tu vois, ç'en est une qu'un de mes anciens
chums m'avait contée, la première nuit qu'on avait
passée ensemble...

LUC

Non, pas la première nuit.

JEAN-MARC

Oui.

LUC

Ah... J'm'en rappelais pas... Bon, ben là j'm'en
vas pour vrai...

JEAN-MARC

Ben non, repose-toi. J'vas y aller voir ton

père. J'vas y aller tout seul. Y a des choses que j'veux
'i dire depuis longtemps.

LUC

J'vas t'attendre ici. Ça me tente pas de rentrer
chez nous tu suite.

JEAN-MARC

Ben oui, installe-toi. Lis. Pis si tu veux reparler
de tout ça, quand je r'viendrai...

LUC

Pis Yves?

JEAN-MARC

I' va comprendre. Si t'étais fin, tu monterais 'i
parler, un peu.

LUC

Peut-être...

Jean-Marc hésite avant de sortir.

JEAN-MARC

À tout à l'heure. As-tu quequ'chose à dire à ton
père?

LUC, *après une hésitation*

Jean-Marc... Des fois j'ai le goût de venir te
voir, de te faire une grosse scène heavy, pire qu'à

soir, pis d'te dire: «R'prends-moi. J'ai tellement besoin de tendresse. Chus tu seul. Pis j'm'ennuie de toi.» C'est presque ça que j'ai fait aujourd'hui, d'ailleurs. J'sais que c'est complètement ridicule pis qu'on le regretterait amèrement tous les deux au bout de trois jours mais l'envie de le faire est de plus en plus forte pis de plus en plus fréquente. C'qui reste entre nous est trop contrôlé des fois, on dirait, pis ça me dérange. J'ai l'impression que mes grandes années de passions émotives sont derrière moi pis qu'i' reviendront jamais. J'me nourris de mes anciennes odeurs pis de mes anciennes passions parce qu'aujourd'hui tout c'que j'ressens c'est des affolements pis des frissons passagers. J'ai besoin de tout. De la vie de nomade autant que de la popote quotidienne. Mais j'peux pas tout avoir. Pis le choix est tellement difficile. Même si i' est déjà fait. *(Silence.)* Au fond, j'me rends compte que j'étais venu ici dans l'espoir de régler quequ'chose pis que j'vas repartir encore plus mêlé que quand chus arrivé. *(Silence.)* Dis à mon père que j'vas être là demain après-midi.

Ils se regardent en souriant.

LUC

Salut!

JEAN-MARC

Salut!

Jean-Marc sort. Luc regarde autour de lui, lentement, puis se dirige vers le bureau de Jean-

91

Marc. Il respire profondément en fermant les yeux. Il prend la première copie à corriger sur le bureau.

LUC

Deux fautes rien que dans le titre... franchement!

NOIR

TABLE

ŒUVRES DE MICHEL TREMBLAY

Chez le même Éditeur

Lysistrata. D'après Aristophane, en collaboration avec André Brassard. Leméac, collection Répertoire québécois, numéro 2, 1969.

L'Effet des rayons gamma sur les vieux-garçons. D'après l'œuvre de Paul Zindel. Leméac, collection Théâtre, traduction et adaptation, numéro 1, 1970.

En pièces détachées et *la Duchesse de Langeais*. Leméac, collection Répertoire québécois, numéro 3, 1970.

Trois petits tours. Leméac, collection Répertoire québécois, numéro 8, 1971.

À toi, pour toujours, ta Marie-Lou. Leméac, collection Théâtre canadien, numéro 21, 1971.

...et Mademoiselle Roberge boit un peu. D'après l'œuvre de Paul Zindel. Leméac, collection Théâtre, traduction et adaptation, numéro 3, 1971.

Les Belles-Sœurs. Leméac, collection Théâtre canadien, numéro 26, 1972.

Demain matin, Montréal m'attend. Leméac, collection Répertoire québécois, numéro 17, 1972.

Hosanna et *La Duchesse de Langeais*. Leméac, collection Répertoire québécois, numéro 32/33, 1973.

Bonjour là, bonjour. Leméac, collection Théâtre canadien, numéro 41, 1974.

Mademoiselle Marguerite. D'après l'œuvre de Roberto Athayde. Leméac, collection Théâtre, traduction et adaptation, numéro 6, 1975.

Les Héros de mon enfance. Leméac, collection Théâtre Leméac, numéro 54, 1976.

Sainte Carmen de la Main. Leméac, collection Théâtre Leméac, numéro 57, 1976.

Damnée Manon, Sacrée Sandra. Leméac, collection Théâtre Leméac, numéro 62, 1977.

L'Impromptu d'Outremont. Leméac, collection Théâtre Leméac, numéro 86, 1980.

Chroniques du plateau Mont-Royal (cycle de romans) :

La grosse femme d'à côté est enceinte. Leméac, collection Roman québécois, numéro 28, 1978. Paris, Éditions Robert Laffont, 1979.

Thérèse et Pierrette à l'école des Saints-Anges. Leméac, collection Roman québécois, numéro 42, 1980.

La Duchesse et le roturier. À paraître en 1982, chez Leméac.

Inédits

Le Train (1964). *Les Paons* (1970). *Au pays du dragon*, d'après Tennessee Williams (1972). *Mistero Buffo*, adapté de la pièce de Dario Fo (1973).

Françoise Durocher, waitress, film de 30 minutes réalisé par André Brassard (1971). *Le Soleil se lève en retard*, long métrage réalisé par André Brassard (1975). *Parlez-nous d'amour*, long métrage réalisé par Jean-Claude Lord (1975).

Chez d'autres Éditeurs

Contes pour buveurs attardés. Montréal, Éditions du Jour, 1966.

La Cité dans l'œuf. Montréal, Éditions du Jour, 1969.

C't'à ton tour, Laura Cadieux. Montréal, Éditions du Jour, 1973.

Il était une fois dans l'Est, scénario du long métrage réalisé par André Brassard. Montréal, Éditions de l'Aurore, 1974.

Collection THÉÂTRE LEMÉAC

1. *Zone* de Marcel Dubé, 1968, 187 p.
2. *Hier, les enfants dansaient* de Gratien Gélinas, 1968, 159 p.
3. *Les Beaux Dimanches* de Marcel Dubé, 1968, 189 p.
4. *Bilan* de Marcel Dubé, 1968 et 1978, 185 p.
5. *Le Marcheur* d'Yves Thériault, 1968, 111 p.
6. *Pauvre Amour* de Marcel Dubé, 1969, 161 p.
7. *Le Temps des lilas* de Marcel Dubé, 1969, 179 p.
8. *Les Traitants* de Guy Dufresne, 1969, 177 p.
9. *Le Cri de l'engoulevent* de Guy Dufresne, 1969, 141 p.
10. *Au retour des oies blanches* de Marcel Dubé, 1969, 189 p.
11. *Double jeu* de Françoise Loranger, 1969, 213 p.
12. *Le Pendu* de Robert Gurik, 1970, 109 p.
13. *Le Chemin du Roy* de Claude Levac et Françoise Loranger, 1969, 135 p.
14. *Un matin comme les autres* de Marcel Dubé, 1971, 183 p.
15. *Fredange* suivi des *Terres neuves* d'Yves Thériault, 1970, 147 p.
16. *Florence* de Marcel Dubé, 1970, 153 p.
17. *Le Coup de l'étrier* et *Avant de t'en aller* de Marcel Dubé, 1970, 127 p.
18. *Médium saignant* de Françoise Loranger, 1970, 139 p.

19. *Un bateau que Dieu sait qui avait monté et qui flottait comme il pouvait, c'est-à-dire mal* d'Alain Pontaut, 1970, 107 p.

20. *Api 2967 et la Palissade* de Robert Gurik, 1971, 149 p.

21. *À toi, pour toujours, ta Marie-Lou* de Michel Tremblay, 1971, 94 p.

22. *Le Naufragé* de Marcel Dubé, 1971, 133 p.

23. *Trois Partitions* de Jacques Brault, 1972, 195 p.

24. *Diguidi, diguidi, ha! ha! ha!* et *Si les Sansoucis s'en soucient, ces Sansoucis-ci s'en soucieront-ils? Bien parler c'est se respecter!* de Jean-Claude Germain, 1972, 195 p.

25. *Manon Lastcall* et *Joualez-moi d'amour* de Jean Barbeau, 1972, 98 p.

26. *Les Belles-Sœurs* de Michel Tremblay, 1972, 156 p.

27. *Médée* de Marcel Dubé, 1973, 124 p.

28. *La Vie exemplaire d'Alcide 1ᵉʳ, le Pharamineux, et de sa proche descendance* d'André Ricard, 1973, 174 p.

29. *De l'autre côté du mur* suivi de cinq courtes pièces de Marcel Dubé, 1973, 215 p.

30. *La Discrétion, la Neige, le Trajet* et *les Protagonistes* de Naïm Kattan, 1974, 137 p.

31. *Félix Poutré* de L.-H. Fréchette, 1974, 135 p.

32. *Le Retour de l'exilé* de L.-H. Fréchette, 1974, 111 p.

33. *Papineau* de L.-H. Fréchette, 1974, 155 p.

34. *Veronica* de L.-H. Fréchette, 1974, 133 p.

35. *Si les Canadiennes le voulaient!* et *Aux jours de Maisonneuve* de Laure Conan, 1974, 159 p.

36. *Cérémonial funèbre sur le corps de Jean-Olivier Chénier* de Jean-Robert Rémillard, 1974, 118 p.
37. *Virginie* de Marcel Dubé, 1974, 157 p.
38. *Le Temps d'une vie* de Roland Lepage, 1974, 153 p.
39. *Sous le signe d'Augusta* de Robert Choquette, 1974, 135 p.
40. *L'Impromptu de Québec ou le Testament* de Marcel Dubé, 1974, 195 p.
41. *Bonjour là, bonjour* de Michel Tremblay, 1974, 107 p.
42. *Une brosse* de Jean Barbeau, 1975, 113 p.
43. *L'été s'appelle Julie* de Marcel Dubé, 1975, 147 p.
44. *Une soirée en octobre* d'André Major, 1975, 91 p.
45. *Le Grand Jeu rouge* d'Alain Pontaut, 1975, 133 p.
46. *La Gloire des filles à Magloire* d'André Ricard, 1975, 151 p.
47. *Lénine* de Robert Gurik, 1975, 114 p.
48. *Le Quadrillé* de Jacques Duchesne, 1975, 185 p.
49. *Ce maudit Lardier* de Guy Dufresne, 1975, 167 p.
50. *Évangéline Deusse* d'Antonine Maillet, 1975, 109 p.
51. *Septième Ciel* de François Beaulieu, 1976, 107 p.
52. *Les Vicissitudes de Rosa* de Roger Dumas, 1976, 119 p.

53. *Je m'en vais à Regina* de Roger Auger, 1976, 83 p.
54. *Les Héros de mon enfance* de Michel Tremblay, 1976, 103 p.
55. *Dites-le avec des fleurs* de Jean Barbeau et Marcel Dubé, 1976, 125 p.
56. *Cinq pièces en un acte* d'André Simard, 1976, 147 p.
57. *Sainte Carmen de la Main* de Michel Tremblay, 1976, 83 p.
58. *Ines Pérée et Inat Tendu* de Réjean Ducharme, 1976, 122 p.
59. *Gapi* d'Antonine Maillet, 1976, 101 p.
60. *Les Passeuses* de Pierre Morency, 1976, 127 p.
61. *Le Réformiste ou l'Honneur des hommes* de Marcel Dubé, 1977, 143 p.
62. *Damnée Manon, sacrée Sandra* et *Surprise! Surprise!* de Michel Tremblay, 1977, 118 p.
63. *Qui est le père?* de Félix Leclerc, 1977, 122 p.
64. *Octobre* de Marcel Dubé, 1977, 81 p.
65. *Joseph-Philémon Sanschagrin, ministre* de Bertrand B. Leblanc, 1977, 105 p.
66. *Dernier Recours de Baptiste à Catherine* de Michèle Lalonde, 1977, 137 p.
67. *Le Champion* de Robert Gurik, 1977, 76 p.
68. *Le Chemin de Lacroix* et *Goglu* de Jean Barbeau, 1977, 119 p.
69. *La Veuve enragée* d'Antonine Maillet, 1977, 171 p.
70. *Hamlet, prince du Québec* de Robert Gurik, 1977, 145 p.
71. *Le Casino voleur* d'André Ricard, 1978, 165 p.

72-73-74. *Anthologie thématique du théâtre québécois au xixe siècle* d'Étienne-F. Duval, 1978, 458 p.

75. *La Baie des Jacques* de Robert Gurik, 1978, 157 p.

76. *Les Lois de la pesanteur* de Pierre Goulet, 1978, 181 p.

77. *Kamikwakushit* de Marc Doré, 1978, 128 p.

78. *Le Bourgeois gentleman* d'Antonine Maillet, 1978, 185 p.

79. *Le Théâtre de la maintenance* de Jean Barbeau, 1979, 103 p.

80. *Le Jardin de la maison blanche* de Jean Barbeau, 1979, 129 p.

81. *Une marquise de Sade et un lézard nommé King-Kong* de Jean Barbeau, 1979, 93 p.

82. *Émile et une nuit* de Jean Barbeau, 1979, 95 p.

83. *La Rose rôtie* de Jean Herbiet, 1979, 129 p.

84. *Eh! qu'mon chum est platte!* d'André Boulanger et Sylvie Prégent, 1979, 87 p.

85. *Le veau dort* de Claude Jasmin, 1979, 121 p.

86. *L'Impromptu d'Outremont* de Michel Tremblay, 1980, 115 p.

87. *Rêve d'une nuit d'hôpital* de Normand Chaurette, 1980, 102 p.

88. *Panique à Longueuil* de René-Daniel Dubois, 1980, 121 p.

89. *Une amie d'enfance* de Louise Roy et Louis Saia, 1980, 127 p.

90. *La Trousse* de Louis-Marie Dansereau, 1981, 117 p.

91. *Les vaches sont de braves types* suivi de trois courtes pièces, de Jean Gagnon, 1981, 139 p.

ACHEVÉ D'IMPRIMER SUR
LES PRESSES DES ATELIERS
MARQUIS DE MONTMAGNY
LE 29 OCTOBRE 1981 POUR
LES ÉDITIONS LEMÉAC INC.